Our Catholic Children

Ministry with Hispanic Youth and Young Adults

Nuestros jóvenes católicos

Pastoral Juvenil Hispana en los Estados Unidos

Hosffman Ospino, PhD

Editor

Our Sunday Visitor

INSTITUTE

Spanish translation by Hosffman Ospino

Our Sunday Visitor, Inc. 2018
ISBN: 978-1-681928-654
CU5210

CONTENTS

Contenido

IV

Acknowledgments

Sincere thanks to all the people and organizations that made this collection possible, as well as the 2016 National Colloquium on Ministry with Hispanic Youth and Young Adults.

Special thanks to Boston College and La RED—the National Catholic Network de Pastoral Juvenil Hispana for joining efforts to spearhead perhaps the most important conversation about ministry with Hispanic youth and young adult ministry since the 2006 *Primer Encuentro Nacional de Pastoral Juvenil Hispana* (First National Encuentro for Hispanic Youth and Young Adult Ministry, PENPJH). The accompaniment of organizations like the South East Pastoral Institute (SEPI), Instituto Fe y Vida, Inc., and the National Federation for Catholic Youth Ministry (NFCYM) was inspiring. The V Encuentro organization was supportive of the idea of this colloquium from the very beginning.

Many visionaries invested countless hours to make the colloquium a successful experience. Thanks in particular to the colloquium Steering Committee: Rev. Rafael Capó, Rev. Alejandro López-Cardinale, Cynthia Psencik, Walter Mena, Hosffman Ospino, and Bishop Alberto Rojas. Thanks also to the army of unnamed pastoral leaders and jóvenes who helped with the many practical details.

The editing of these essays has been a work of love that we hope will serve well the millions of young Hispanic Catholics we hold in our hearts and minds. Thanks to the authors for your research and wisdom. Ken Johnson-Mondragón provided invaluable editorial feedback. Ken is unquestionably the most knowledgeable person in the country on matters related to Hispanic Catholic youth and young adults. He is a true gift to the Church in the U.S. at this historical juncture.

Lastly, a special word of gratitude to the various entities that contributed financially to the colloquium and this collection: Boston College Office of the President, Boston College Center for the Church in the 21st Century, Boston College School of Theology and Ministry, V Encuentro Organization, and The Our Sunday Visitor Institute. Thanks also to the diocesan offices, parishes, and organizations that covered the costs of some colloquium participants. Our Sunday Visitor generously embraced the idea of publishing this collection. To them and to those that remain unnamed, although your generosity is engraved in our hearts, *¡muchas gracias!*

Not long ago, I learned about two high-ranking ordained Catholic pastoral leaders in the Southwest of the United States talking about the future of their dioceses. One of them expressed concern at the declining number of Catholics in the diocese he served and the low levels of participation in parish life among Catholic youth. His conversation partner replied (I paraphrase), "I thought that your diocese was doing better since the number of Hispanic Catholics has practically doubled, perhaps tripled since the year 2000." To this the response was, "well, if you count Hispanics, then it is a different story."

This anecdote captures well one of the major challenges that Catholics face in the United States: to embrace the fact that we are a Church with many cultural families and that the majority of young Catholics in the country are Hispanic. Hispanic Catholics are not "a different story." All Catholics in the United States—Asian, black, Hispanic, Native American, white—are part of the same story: the story of the baptized women and men who live our relationship with Jesus Christ within the Roman Catholic tradition. Unless we understand this and its implications, we will not be able to embrace our present *realidad*, much less appreciate this book.

Our Catholic Children: Ministry with Hispanic Youth and Young Adults is the result of many conversations at various levels among U.S. Catholics. Earlier versions of the essays in this collection were presented as study documents to inspire the conversations during the National Colloquium on Ministry with Hispanic Youth and Young Adults, hosted by Boston College on August 19-21, 2016. The colloquium was a joint effort between La RED—the National Catholic Network de Pastoral Juvenil Hispana—and Boston College. The meeting was one of the milestone conversations supporting the four-year process of the Fifth National Encuentro of Hispanic/Latino Ministry (V Encuentro). More information about this important process can be found at www.vencuentro.org. The essays were revised in light of the rich conversations during the colloquium and edited for publication. One more essay written by Ken Johnson-Mondragón with Ed Lozano was added to this collection. Although the essay was not used during the colloquium, its analysis has much to offer to this important conversation.

For over two decades, La RED has spearheaded one of the most important conversations in our Church: how to better serve young Hispanics, who constitute more than 50% of all U.S. Catholics under 30. This conversation has been supported by national organizations like the National Catholic Council for Hispanic Ministry (NCCHM) and the National Federation for Catholic Youth Ministry (NFCYM), and institutes such as Instituto Fe y Vida, and the South East Pastoral Institute (SEPI), among others. Most recently Catholic universities and foundations have played a significant role advancing research and providing resources to move forward the conversation about ministry with Hispanic Catholic youth and young adults.

Much has been accomplished during these decades of dialogue and discernment, building upon other efforts by individual organizations and earlier Encuentro processes since the 1970s. Besides raising awareness about the urgency of accompanying Hispanic Catholic young people pastorally and spiritually for the good of this population and the good of the Church in the United States, these conversations have also made important contributions.

Today we have much richer language to define the Church's efforts to serve Hispanic Catholic youth and young adults. The use of *Pastoral Juvenil Hispana* (used in Spanish) to name the efforts of pastoral outreach to Hispanic youth and young adults, emphasizing the particularity of culture, religious, and social identity of this population, has been very helpful. In fact, it has been prophetic. The term has been instrumental to affirm the value and the limitations of more standard efforts such as youth ministry, young adult ministry, and even campus ministry, which tend to serve primarily Euro-American white Catholic youth.

One of the drawbacks of using *Pastoral Juvenil Hispana* is that most pastoral leaders working with Catholic youth in our nation, including many Hispanic leaders, do not fully grasp the concept's pastoral, theological, cultural, and even psychological assumptions. With a few exceptions, dioceses and parishes have been very slow to embrace it in their hiring processes. One consequence of this situation is the unintended reduction of *Pastoral Juvenil Hispana* to being "a different story." Yet, language evolves and most likely the next step in this conversation is the incorporation of what we have learned about *Pastoral Juvenil Hispana* into the standard categories of youth ministry, young adult ministry, and campus ministry. Considering the context and realities that define the experience of Catholic youth and young adults in the United States, it would be utterly irresponsible to go about youth and young adult ministry as if Hispanic young people did not exist or were someone else's concern.

Conversations about ministry with Hispanic youth and young adults are often sidetracked by competing statistics. While I am convinced that statistics are our friends, I also acknowledge that they can quickly turn into fancy distracting devils—figuratively speaking! Readers of *Our Catholic Children* will find a significant number of statistics in this book that help us to understand better the many realities that shape the lives of Hispanic Catholic youth and young adults. Authors have drawn their data from various sources, organizations, and research projects. Although these statistics are important, my strong suggestion is not to lose sight of the analysis and the pastoral recommendations in each of the chapters.

Allow me to highlight the following seven statistics about Hispanic youth and young adults, which I believe will help us to share a common starting point. The first three sets come from data collected as part of the consultation done during the V Encuentro process, released in 2018:

1. As of 2016, nearly 21 million Hispanic adults in the U.S. self-identified as Catholic, and an additional 9 million Hispanic children were counted as Catholic.

2. As of 2016, about 61% of immigrant Hispanics were Catholic, as were 50% of the second generation and 43% of the third and higher generations. The numbers are probably at least 6 percentage points lower in each generational group among Hispanic youth and young adults.

3. About 40% of all Catholics in the U.S. are Hispanic; 50% of Catholics ages 14 to 29 are Hispanic; and 55% of Catholics under age 14 are Hispanic.

4. 85% of Hispanics ages 14 to 17 were born in the United States.

5. About two-thirds (68%) of Hispanics ages 18 to 30 were born in the United States.

6. About 4% of all Hispanic Catholic children are enrolled in Catholic schools.

7. About three fifths (59%) of Hispanic children—ages 0 to 17—live in low-income families, and approximately three of every ten live below the poverty level. More than one-third of Hispanic children live in neighborhoods of concentrated poverty.

These numbers give us a sense of the population that is the focus of *Our Catholic Children*. The eight chapters in this book are important resources for pastoral leaders, academics, educators, advocates, and anyone else committed to working with young Catholic people in the United States. All chapters are available in English and Spanish in the same volume, which will make it easier to engage in fruitful conversation, particularly in those faith communities where these two languages are widely spoken. All together, these chapters remind us, again and again, that Hispanic youth and young adults are not merely the future of Catholicism in the United States but its real and joyful present! These young women and men are key protagonists of the one Catholic story that is being written in our nation.

Hosffman Ospino, PhD
May 1, 2018
Feast of St. Joseph the Worker

Innovative Strategies for Accompanying Young Hispanics

Abby Salazar and Steven Fisher

What does it mean to be a young Hispanic Catholic?
For us, this is a personal question. We both are young
Hispanics born in the United States. We met many
young Hispanic women and men like us as part of our
campus ministry work at the University of Notre Dame
in South Bend, Indiana, a few years ago. Allow us to
introduce you to some of them.

Nicole Gómez is the daughter of a single parent raised in an unstable household. She returned to the university after leaving her first year due to a constant battle with depression. Creative and bright, she drew attention to herself with multiple piercings, black clothing, bold hair coloring, and politicized garments with the tagline, "Relax gringo, I'm legal." Nicole easily discerned class difference among her white peers, desired to help others in ministry retreats, and often served as a mentor for those who felt like they did not fit in.

Raised in an upper-income and white suburb, Ethan Rodríguez studied biology and chemistry and actively participated in the school marching band. Ethan often resented it when people mistook his Bolivian heritage as Mexican and openly questioned his own sexual identity. He recognized that being Hispanic in the United States is a unique experience not without its challenges and wanted other young Hispanics to embrace their unique culture and history. At the same time, Ethan identified as spiritual yet, in his own words, "not as extremely religious as others can be" and follows "almost all of the mainline church dogma, but with a few exceptions regarding hot-button issues."

María Torres grew up in Michigan and served as a student liturgical minister in her community's Spanish-language Mass. The second eldest of four siblings, María assisted her parents as a Spanish-English translator and interpreter and managed family responsibilities such as filing taxes. A high school teacher served as María's model in faith, as she taught her to "not be embarrassed for what María believe[d] in, and she never seem[ed] to push faith on anyone, she simply [gave] them an option." After a deeply painful crisis, María seriously questioned her own identity. With prayer and trust in God, María began to reevaluate who she is and accept all aspects of herself in the search for her identity.[1]

The personal stories of Nicole, Ethan, and María are part of the millions of individual stories of young Hispanics. Although each story is unique, each is also part of a whole. At the heart of these stories are the questions of identity and the spiritual journeys of the largest sector of young Catholics in the United States. How is the Catholic

Church, through its ministerial structures, effectively accompanying young Hispanics? The ultimate goal of ministry with this population can be no other than the creation of faith communities where Hispanic young people live their Catholic faith and Hispanic identity as mutual and reinforcing dimensions of their relationship with Christ and belonging in the Church. What scholars and practitioners of Hispanic ministry have identified as priorities should come to life in the accompaniment of Hispanic Catholic youth.[2]

Hispanic Emerging Adults

Let us take a brief look at some general characteristics that shape the lives of Hispanic young people in the United States, with particular attention to what sociologists call "emerging adults" (i.e., young people between the ages of 18 and 29).

Most Hispanics under 29 are U.S.-born and primarily English-speaking. Most share Mexican cultural roots, although in general there is a diversity of cultural backgrounds that should not be dismissed.[3] In general, Hispanic youth view themselves positively, hold high regard for future endeavors, and deeply value education. U.S.-born Hispanic young people have higher educational attainment and fare better socioeconomically compared to young Hispanic immigrants. However, young Hispanics are less likely to complete formal schooling and more likely to start having children as teenagers compared to their peers from other racial/ethnic groups. Young Hispanics are more likely to experience poverty and live in at-risk situations compared to white and Asian young people.[4]

It is tempting to envision a uniform approach to reaching out to Hispanic youth. Yet researchers remind us that the pastoral needs of our Hispanic young people are so differentiated that a single approach would never address the needs of all.[5]

Waking Up

If ministry is about accompanying others on their spiritual and life journeys, then ministry to Hispanic young people requires that we be aware of the most urgent realities shaping the lives of this population.

The number of young Hispanics actively involved in Catholic ministerial structures remains rather small compared to the size of the Hispanic Catholic population in the United States. In 2003 "only 6% of Hispanic Catholic teens had been participating in a youth group for more than two years, and only 3% were serving as peer leaders in youth ministry—compared to 14% and 7% respectively for their white Catholic peers."[6] Although this data is about fifteen years old, we gathered from conversations with pastoral leaders that this reality has not changed much. More research and fresher data are needed in this area.

The Church in the United States is losing a significant number of young Hispanic Catholics, mostly U.S.-born, to other faith traditions and the ranks of what sociologists call the non-religiously affiliated (i.e. "nones"). The Pew Research Center notes that nearly one in four Hispanics is a former Catholic. The percentage of Hispanics in the U.S. self-identifying as Catholic has steadily dropped in recent decades; however, the proportion of Hispanics among all U.S. Catholics is still rising. Both trends are possible because of the growing size of the Hispanic population. The same researchers observe that if these trends continue, soon "a majority of Catholics in the United States will be Hispanic, even though the majority of Hispanics might no longer be Catholic."[7]

These two sets of dynamics—low institutional engagement and defection—call for creative pastoral strategies. Based on our experience as young Hispanic ministers accompanying other young Hispanic Catholics, we do not have magical formulas. However, we have identified several starting points for pastoral action.

First, we must learn how to relate to young Hispanics who do not speak Spanish, who are at risk of not completing school, who struggle with self-esteem and mental health issues, and who feel uncertain about their own cultural and religious identities. These and other complex issues are faced by millions of young Hispanic Catholics who currently do not view the institutional Church as effectively channeling the answers to the questions they have. Actually, many perceive that ecclesial ministries and catechetical materials often limit or fall short from fostering critical conversations on key issues affecting their lives such as religious pluralism, sexuality, women's issues, and health. Hispanic young people struggle to incorporate narrow perceptions of Catholic identity ranging between extreme traditionalism and extreme progressivism common in certain adult circles and faith communities.

Second, like many other young people, Hispanic Catholic young people depend on role models to learn and grow in their faith. This is especially the case with adolescents. While parents often play this modeling role, many young Hispanics do not see themselves practicing their faith like their parents, especially like their immigrant parents.[8] Hispanic youth often search for Hispanic young adult Catholics who are willing to share their values and practices with them. This opens up the possibility of expanding the process of faith sharing beyond family-based relationships. Faith communities will do well to cultivate relationships that allow Hispanic Catholic youth and young adults to mutually share their faith.

Third, we know that young people who do not integrate their faith into the rest of their lives gradually drift away from their faith tradition or simply stop believing in Church teachings.[9] Many young Hispanics, along with young people from other racial/ethnic groups, tend to reduce their understanding of faith to a lukewarm belief in God or simply choose to remain religiously unaffiliated. Faith as self-directed comfort becomes the focal point of religious fulfillment and spirituality rather than the challenge to follow Christ's call. The accompaniment of young Hispanic Catholics, therefore, demands well-organized instances of faith formation that engage the Scriptures, the Church's rich Tradition, and their own particular lives. They need mentors and witnesses who help them engage their faith in critical yet inspiring ways.

Need for Innovation

Matthew Bloom, a researcher at the University of Notre Dame, states that "innovation at its best takes the perspective of the individual whose experience you want to change—seeing the world through their eyes so you can understand it in a richer, more nuanced way."[10] Imagining fresher institutional structures through the eyes of Hispanic Catholic young people will lead us to more creative and engaging pastoral initiatives.

Pope Francis is modeling how to engage young people in fresh and innovative ways. Although he is not the first pope to do this, he is known for sharing the joy of the Gospel with young people through social media. He announces papal documents and boldly proclaims encounters with the love of God in 140 character sound bites targeting his audience on their platforms. He provides rich examples of happiness rooted in scripture, encouraging daily reading of the Gospel, and most importantly, he does not hesitate to challenge millennial attitudes toward life encapsulated in expressions such as *YOLO/FOMO*:[11]

> Many preach the importance of 'enjoying' the moment. They say that it is not worth making a life-long commitment, making a definitive decision, 'for ever', because we do not know what tomorrow will bring. I ask you, instead, to be revolutionaries, I ask you to swim against the tide; yes, I am asking you to rebel against this culture that sees everything as temporary and that ultimately believes you are incapable of responsibility, that believes you are incapable of true love.[12]

If innovation requires listening to the people we want to affect and being present in the contexts where they are, then we must listen to Hispanic youth.

In 2006, more than 40,000 young Hispanic Catholics and their ministry leaders participated in the *Primer Encuentro Nacional de Pastoral Juvenil Hispana* (First National Encuentro for Hispanic Youth and Young Adult Ministry, *PENPJH*). The mission statement that accompanies the conclusions of this groundbreaking gathering speaks of joyous encounters with Jesus as the source of ministry with this population. Young Hispanics saw themselves "investing our gifts and talents in evangelizing and missionary efforts rooted in the places where they live, work, study and have fun, always following the example of Jesus."[13] They cited an urgent need for "appealing lessons adapted to our age, and with activities and methods that foster our participation."[14]

The conclusions of the *PENPJH* also highlight the vision of pastoral leadership desired for those working with Hispanic Catholic youth. Young Hispanics long not necessarily for institutional gatekeepers but bridges "between them and the people with the responsibility to make decisions in favor of ministry with adolescents."[15] They envision leaders who open doors to decisions, plan with young people, and advocate using their institutional knowledge.

It is by listening to Hispanic young people in circumstances like the *PENPJH* as well as our Catholic youth groups, parishes, and academic institutions that creative and effective pastoral strategies to accompany this population will emerge. As Hispanic Catholic young people find their way in the church and in the larger society, they will draw from their own unique narratives. Our role as ministers is to accompany them in this process.[16] In our ministry with young women and men like Nicole, Ethan, and María in the context of Catholic higher education, we learned that no single pastoral approach could simultaneously address their multiple and complex needs. However, we want to propose at least two key practices that may be helpful for others working with similar populations.[17]

Engage young Hispanics' identity discernment processes with a sense of reverence, even if these processes initially seem to be in tension with Church teachings or taken-for-granted social standards. This allows ministers to understand better the concerns of the young people with whom they work and the lens they use to interpret the complex realities that shape the lives of Hispanics in the United States. This is particularly important when Hispanic youth perceive existing norms governing social relationships as instruments that marginalize and erode their Hispanic identity. The goal is not to ignore or explain that perception but to understand how U.S.-born Hispanic youth came to it.[18] A willingness to embrace gently their present experience honors the story where God has laid plans for love. If we subject their identity to harsh judgments, their story will not reveal itself as a journey with God.[19]

Create shared spaces to talk about identity in light of young Hispanics' faith. By sharing their own journey of self-awareness with peers, young people create community. Standard models of ministry with young Catholics invest in exposing this population to role models who live their faith in heroic ways. However, a peer-to-peer model provides the opportunity to honor young people's voices and experiences. This model may yield more fruits for Catholic faith communities when working with Hispanic Catholic youth. We already see the centrality of apostolic movements among young Hispanics. These movements are organizationally flexible, working well within and outside parish structures.[20] Small communities foster a unique sense of belonging. When they know themselves as belonging to a church where they are valued for who they are, with their stories, hopes and struggles, Hispanic young people are more likely to value the richness of the Catholic tradition. Small communities help young Hispanics to affirm their voice and identity, as individuals and as members of a larger whole, while journeying toward fulfillment.

A Call to Action

It is tempting to reduce one's analysis of how the Catholic Church in the United States reaches out to Hispanic young people through anonymous surveys and statistical analyses. While these provide important information, we cannot lose sight that we are engaging young women and men who are children of God. They have names, families, stories, questions, hopes, frustrations, etc. We need to ask ourselves, how does our outreach to young Hispanic Catholics communicate the heart of Christ? This question reminds us that what we do in ministry with Hispanic youth must reflect our conviction that the encounter with the Gospel is truly a life-giving experience. At the same time, our encounter with Nicole, Ethan, and María, and many other young Hispanics with their own unique stories, is part of a journey of building the Church in this corner of the world. As young Hispanic Catholics working with other young Hispanics, we know that our vocation is to love: we can do nothing but love. If we succeed in that calling, we engender hope.

Chapter 1 Endnotes

1 The quotes come from conversations between the students and the authors.

2 See in particular the following two works, Hosffman Ospino, ed., *Hispanic Ministry in the 21st Century: Present and Future*. Miami, FL: Convivium Press, 2010; Hosffman Ospino, Elsie Miranda, and Brett Hoover, eds., *Hispanic Ministry in the 21st Century: Urgent Matters*. Miami, FL: Convivium Press, 2016.

3 Eileen Patten, "The Nation's Latino Population Is Defined by Its Youth: Nearly Half of U.S.-born Latinos Are Younger than 18," *Pew Research Center*, April 20, 2016. Available online at http://www.pewhispanic.org/2016/04/20/the-nations-latino-population-is-defined-by-its-youth/.

4 Pew Research Center, *Between Two Worlds: How Young Latinos Come of Age in America*. Washington, D.C.: Pew Research Center, December 11, 2009, updated July 1, 2013. Available online at http://www.pewhispanic.org/2009/12/11/between-two-worlds-how-young-latinos-come-of-age-in-america/.

5 See for instance Ken Johnson-Mondragón, "Hispanic Youth and Young Adult Ministry," in Ospino, *Hispanic Ministry in the 21st Century: Present and Future*, 112. See also, Christian Smith, *Young Catholic America: Emerging Adults In, Out of, and Gone from the Church*. New York: Oxford University Press, 2014. See also Ken Johnson-Mondragón with Ed Lozano, "A 'Community of Communities' Approach to Youth Ministry", Chapter 7 in this collection.

6 Ken Johnson-Mondragón, "Youth Ministry and the Socioreligious Lives of Hispanic and White Catholic Teens in the U.S.," in Instituto Fe y Vida, *Perspectives on Hispanic Youth and Young Adult Ministry*, n. 2. Stockton, CA: Instituto Fe y Vida, 2005, 7.

7 Cary Funk and Jessica Hamar Martínez, *The Shifting Religious Identity of Latinos in the United States*. Washington, D.C.: Pew Research Center, 2014, 10. Available online at http://assets.pewresearch.org/wp-content/uploads/sites/11/2014/05/Latinos-Religion-07-22-full-report.pdf.

8 See Johnson-Mondragón, "Hispanic Youth and Young Adult Ministry," 110.

9 See Funk and Hamar Martínez, *The Shifting Religious Identity of Latinos in the United States*, 41.

10 Interview with Dr. Matthew Bloom conducted by Faith & Leadership, September 26, 2011. Available online at https://www.faithandleadership.com/matt-bloom-flourishing-ministry.

11 YOLO stands for "You Only Live Once;" FOMO stands for "Fear of Missing Out."

12 Pope Francis Address, Meeting with the Volunteers of the XXVIII World Youth Day, Rio de Janeiro, Pavilion 5 of the Rio Center, Rio de Janeiro, Sunday, 28 July 2013. Available online at https://w2.vatican.va/content/francesco/en/speeches/2013/july/documents/papa-francesco_20130728_gmg-rio-volontari.html.

13 National Catholic Network de *Pastoral Juvenil Hispana—*La RED, *Conclusiones: Primer Encuentro Nacional de Pastoral Juvenil Hispana.* Washington, D.C.: United States Conference of Catholic Bishops, 2008, 54.

14 Ibid., 55.

15 Ibid., 78.

16 See Ken Johnson-Mondragón and Lynette De Jesús-Sáenz, "Discípulos Misioneros... Jóvenes Callejeros de la Fe," United States Conference of Catholic Bishops 2017 Catechetical Sunday Resource. Available online at http://www.usccb.org/beliefs-and-teachings/how-we-teach/catechesis/catechetical-sunday/living-disciples/spanish/discipulos-misioneros-jovenes-callejeros-de-la-fe.cfm.

17 These practices draw upon John Paul Lederach's own practices of identity engagement within the context of peace building and conflict transformation. For a full overview of Lederach's model, see John Paul Lederach, *The Little Book of Conflict Transformation.* Intercourse, PA: Good Books, 55-60.

18 Ibid., 60.

19 See Fran Ferder and John Heagle, *Your Sexual Self: Pathway to Authentic Intimacy.* Notre Dame, IN: Ave Maria Press, 1992.

20 See Lynette De Jesús-Sáenz and Ken Johnson-Mondragón, "Hispanic Ministry and the Pastoral Care of the New Generations of Latino Youth," in Ospino, Miranda y Hoover, eds., *El ministerio hispano en el siglo XXI: asuntos urgentes, 77.*

TEN REALITY CHECKS ABOUT YOUNG HISPANICS IN CATHOLIC SCHOOLS AND COLLEGES

Hosffman Ospino

Until recently, Catholics were understood as one of the most educated sectors of the U.S. population. This was certainly the case during most of the second part of the twentieth century. During the second decade of the twenty-first century, however, the statement calls for some nuancing: *Euro-American, white Catholics* are one of the most educated sectors of the U.S. population. Catholic elementary, secondary, and higher education gave millions of Euro-American, white Catholics a unique advantage to succeed in our society and better serve the Church.[1] For various socio-historical reasons, those same educational structures did not benefit Asian, black, Hispanic, and Native American Catholics in the same way.

Will present-day Catholic educational structures adjust and work prophetically to give an advantage to the next generation of young U.S. Catholics, mostly Hispanic? I write this chapter with a sense of hope. I think that they can. In fact, they must. Catholic education is a ministry of the Church. To advance this ministry in our day will require the work of visionaries and pioneers like the many Catholic educators not long ago, especially vowed women religious, who set out to establish new Catholic schools and institutions of higher education, mostly throughout the Northeast and the Midwest. It will also require some pastoral conversion, that is an openness to renew structures as part of "an effort to make them more mission-oriented, to make ordinary pastoral activity on every level more inclusive and open, to inspire in pastoral workers a constant desire to go forth and in this way to elicit a positive response from all those whom Jesus summons to friendship with himself."[2]

I would like to frame this reflection via ten reality checks which will serve as an opportunity to name key realities as they appear before us, forcing us to read the signs of the times to respond in informed ways. Key data in the chapter comes from research conducted recently and reported in *Catholic Schools in an Increasingly Hispanic Church.*[3] These reality checks will help us to avoid two temptations. One is to enter this conversation with an attitude of "wishful thinking," setting unrealistic expectations about what young Hispanics can and should do regarding their education in Catholic schools and universities, and what Catholic educational institutions at various levels can and should do to better serve young Hispanic Catholics. Another is to blame one another for not doing better regarding the education of Hispanic Catholics. This chapter does not look at the past but to a future-oriented present. The data and observations here point to complex matters. There is no silver bullet. Neither is there one single approach. This is not a time for lone heroes, whether individuals or institutions or organizations. Great ideas in isolation perish in isolation. If anything, this chapter is an invitation to establish networks of collaboration, think together, share resources, strategize as a community of communities, and do *la labor pastoral* and *la teología de conjunto*.

Reality Check 1

Hispanics constitute the fastest-growing student population in the United States of America.

In 2004, 19% of children enrolled in public elementary and secondary schools were Hispanic; in 2016 the percentage was 26%. It is estimated that by 2026, 29% of all children enrolled in public schools will be Hispanic.[4]

These demographic trends will soon challenge enrollment practices in colleges and universities across the country. Of the nearly 13.2 million school-age Hispanic children in the country (as of 2014), about 8 million are growing up as Catholic.[5]

Observations: In the history of U.S. Catholicism, the number of Catholic school-age children has never been larger. Most of these Catholic children are Hispanic. Catholic ministers and educators must come together to envision strategies to intentionally engage this population.

We need an urgent assessment of how we are educating the hundreds of thousands of Hispanic children, youth, and young adults in our Catholic educational institutions, and inquire how to best serve the millions who are not.

Reality Check 2

Most school-age Hispanic children attend predominantly
minority schools (78%), primarily in large cities in the West.

The majority of these children are Catholic. Most go
to hyper-segregated schools (90% to 100% minority).
Segregated schools tend to be in poor neighborhoods, have
fewer resources to educate, and their performance is the
lowest when compared with other schools.[6]

Observations: The conversation about the education of
Hispanic children and youth cannot be limited to what
happens in Catholic schools or colleges. Ministry with
Hispanic youth and young adults must become involved
in the conversations about how Hispanic children—mostly
Catholic—who are in public schools are being educated.
Ministry with Hispanic youth and young adults must be
a ministry that empowers Hispanic families and young
people to challenge the anomalies that negatively impact
our Catholic children in the larger educational system.
These families and young people need to understand
how to advocate for quality education. The Church's rich
tradition of organizing and educating communities must
be retrieved with a sense of urgency at this time in history.

Reality Check 3

Catholic schools need Hispanic children.

Catholic schools must increase enrollments and attract
the new generation of U.S. Catholics, largely Hispanic,
to thrive in the twenty-first century.[7] In order to be
sustainable and effectively at the service of the Church's
evangelizing mission, these schools must find adequate

ways to truly welcome the children of this new (largely Hispanic) generation while inviting them to invest in their present and future.

Observations: Catholic schools are an important treasure in the life of the Church in the United States to advance its evangelizing mission. We need to redouble the commitment to increasing enrollment of Hispanic children and their families. Catholic schools need to elaborate clear enrollment plans and share them with pastoral leaders working in Hispanic ministry and those working more specifically with Hispanic youth and young adults. We need to help Hispanic families raising children and youth to see themselves as partners and investors in Catholic education. Hispanic Catholic young adults raising children should be constantly invited to become part of the life of Catholic schools.

Reality Check 4

Graduation rates among Hispanics have improved significantly, yet there is a lot of room for growth.

High school non-completion rates among Hispanics ages 18 to 24 have significantly declined between the year 2000 (32%) and the year 2016 (10%).[8] By the year 2016, about 47% of Hispanic high school graduates in the same age bracket were enrolled in college.[9] These are historical highs. However, four-year college degree (or bachelor's degree) attainment within this population still lags significantly behind Asians, Blacks, and whites: "As of 2014, among Hispanics ages 25 to 29, just 15% had a bachelor's degree or higher." At the same time, half of all Hispanics (48%) enrolled in a college program attended a two-year school.[10]

Observations: Ministry with Hispanic youth and young adults must incorporate awareness about planning for college. Their initiatives should incorporate mentoring programs, assistance understanding the application process, and constant encouragement to see the value of higher education. Catholic colleges and universities need to be present in parishes with Hispanic ministry and engage apostolic movements where Hispanics are nurtured spiritually. We need more Catholic colleges and universities exploring the possibility of investing in two-year college-level programs.

Reality Check 5

Only 4% of all school-age Hispanic Catholic children are enrolled in Catholic schools.

The National Catholic Educational Association (NCEA) reports that approximately 17.4% (319,650) of students enrolled in Catholic schools in 2017-2018 were Hispanic.[11] Comparing these numbers against the total Hispanic school-age population in the country (approx. 13.2 million), Catholic and non-Catholic, Catholic schools enroll about 2.4% of these children. Only 4% of all school-age Hispanic Catholic children are enrolled in these institutions.

Observations: Catholic schools need to intensify current efforts to diversify their student population by welcoming more Hispanic students and their families. This also requires creating school environments that are more welcoming of Hispanic families' cultural and religious traditions, including the beauty of the Spanish language. To do this, they can engage in close collaboration with pastoral leaders engaged in ministry with Hispanic youth and young adults. These leaders can be involved in the life of the school as teachers, board members, consultants, and even transition more fully into working in Catholic schools. Pastoral leaders engaged in ministry with Hispanic youth and young adults should be well-versed in the life and dynamics of Catholic schools, become ambassadors that bring Hispanic families to these schools, and serve as bridge people (*gente puente*) between parishes and schools.

Reality Check 6

About two-thirds of Hispanic children live in low-income families and one-third live in poverty.

The average tuition per student in elementary Catholic schools for the academic year 2017-2018 was $4,841. The average tuition per student in Catholic secondary schools during the same period was $11,239.[12] Neither of these averages covers fully the actual per pupil costs in these schools. This practice of charging tuition that is less than the actual per pupil cost is proving unsustainable for thousands of Catholics schools nationwide. Sound financial practices require closing that gap, and dioceses and schools are being creative (e.g., philanthropy, foundations, partnerships with universities), yet in most cases doing this translates into raising tuition.[13]

In turn, in 2016, 59% of Hispanic children lived in low-income families and approximately three of every ten (29%) in poverty, with one in five Hispanic Children (19%) living in deep poverty.[14] More than one-third of Hispanic children live in neighborhoods of concentrated poverty.[15]

Observations: Ministry with Hispanic youth and young adults is a ministry of advocacy and accompaniment. Pastoral leaders involved in this ministry should partner with Catholic schools to find ways to increase opportunities for Hispanic children to enroll in them: fundraising, writing letters, participating in schools events, encouraging sponsors and supporters, mentoring, etc. Pastoral leaders working with Hispanic youth and young adults can be instrumental in brokering relationships with Catholic colleges, organizations, and philanthropic foundations on behalf of the people they serve. They need to help educate Hispanic families about the costs of Catholic education, the many opportunities available to fund it, and the need to invest in schools as well as in their children. Both forms of investment flow from our commitment to participate in the Church's evangelizing mission.

Reality Check 7

Most Catholic leaders agree that Catholic education for Hispanic children is a priority.

Practically every leader involved in ministry with Hispanic Catholics and Catholic education agrees that the education of Hispanic children, youth, and young adults is a priority for the Church in the United States.

Bishops: "Dioceses and parishes should take steps to help increase Catholic school accessibility and attendance by Hispanic children, possibly through scholarships and other incentives."[16]

Diocesan Director of Hispanic Ministry: "Create a system of promoting Catholic schools in [the] Hispanic community."[17]

Stakeholders are mostly aware of one another's existence: 97% of diocesan directors of Hispanic ministry (or their equivalent) know about the existence and the work of the Diocesan Catholic Schools Office (or its equivalent); 72% of principals in Catholic schools serving Hispanic families are aware of a Diocesan Office of Hispanic Ministry.[18]

Observations: There is much energy among our pastoral and educational leaders about providing the best possible education for Hispanic children, youth, and young adults. Let us capitalize on that energy. All pastoral and educational leaders must develop plans to meet with each other, gather on a regular basis, plan together, learn from one another, and celebrate the potential of a Church that is increasingly Hispanic. Best practices of collaboration need to be highly promoted and shared.

Reality Check 8

Pastoral leaders advocating for Catholic education and ministry to Hispanic youth seldom work together.

While there is much energy among leaders doing ministry with Hispanic Catholics and those involved in Catholic education to make sure that Hispanic children, youth, and young adults benefit from Catholic educational resources, the networks of communication and collaboration among these stakeholders are rather feeble. At the heart of this reality is a persistent "silo mentality" that prevents uniting efforts, sharing resources, and planning together.[19] Also, there seems to be a lack of awareness about each other's potential contributions to achieving common goals. Only 38% of principals leading schools serving Hispanic families are aware of the existence of a parish director of Hispanic ministry. Just 29% indicated that they had worked with the diocesan Catholic Schools Office on a project involving their school and Hispanic families/students. Only half (51%) of Diocesan Directors with Hispanic Ministry recently indicated having advanced any intentional collaborative work with a Diocesan Catholic Schools Office to promote access to Catholic schools among Hispanics or support Hispanic families enrolled in these institutions.[20]

Observations: We must get out of our silos! The pastoral and spiritual care of Hispanic youth and young adults must inspire creative expressions of *pastoral de conjunto*. The contradiction between wanting to work together, yet not doing it, demands an honest assessment of what prevents pastoral and educational leaders from doing so. We need to name the biases that prevent us from working together on the same mission, including racial, linguistic, educational, cultural, and even political. All pastoral and educational leaders serving Catholic children, youth, and young adults must foster the appropriate intercultural competencies, particularly those that will help us to work better with Hispanic Catholics, both U.S.-born and immigrant.

Reality Check 9

About 12.2% of the total student population in Catholic colleges and universities are Hispanic.

In 2016, about 3.6 million (47%) of all Hispanic high school graduates, ages 18 to 24, were enrolled in an institution of higher education (almost half in two-year colleges).[21] Based on the most recent data available (year 2016), the U.S. Census Bureau reports that about 19.6% of Hispanics enrolled in higher education programs attended private institutions (about 771,000 students).[22] The Association of Catholic Colleges and Universities (ACCU) estimated that in 2018, 12.2% of the more than 900,000 students enrolled in Catholic colleges and universities were Hispanic;[23] that is about 14% of all Hispanic students attending private institutions of higher education.[24]

Observations: The U.S. Census Bureau estimated that in 2016 about 15.3% of Hispanics age 25 and older had a bachelor's degree or higher[25] The percentage increased about 2 points when including Hispanics ages 21 to 25. However, the average remains very low compared to Asian, Black and white populations. Pastoral leaders working with Hispanic youth and young adults must understand the immediate and future implications of very low levels of college educational attainment among this population. Without a professional Catholic workforce in an increasingly Hispanic church, the institution most directly impacted by this absence is the Church itself. Without professional education the number of Hispanic clergy, qualified lay ecclesial ministers, vowed religious in decision-making positions, teachers, school administrators, researchers, theologians, scientists, scholars in other fields, etc., will be scant, almost nonexistent in some parts of the country. The institutions that previous generations of U.S. Catholics worked hard to build may just disappear or lose their Catholic identity as they transition into the hands of leaders who might be capable professionals, yet not profoundly steeped into the best of the Catholic spiritual, cultural, and theological tradition. Without a critical mass of (Hispanic) professional Catholics in the twenty-first century, the Church will lose much of its public voice and presence. This is the right time for Catholic universities to lead the way. However, we know that the number of Hispanic youth and young adults in these institutions is small compared to the overall size of this population. This is a time for Catholic universities and Catholic centers in non-Catholic institutions to work hand-in-hand with pastoral leaders accompanying Hispanic Catholics.

Reality Check 10

The cultural, social, and economic gap between Hispanic families and Catholic colleges remains too wide.

Despite the many benefits of Catholic institutions of higher education,[26] most Hispanic youth and their families do not consider them as their first educational option. We can name several reasons. One, Catholic colleges and universities are increasingly selective, yet most Hispanic children attend public, underperforming schools not receiving adequate education to succeed in college life, much less in highly competitive private institutions. Two, although there are scholarships available, costs at Catholic colleges and universities remain prohibitive for most

Hispanic families, most of whom struggle with poverty or live near the poverty level (during the academic year 2016-2017 the average tuition and fees at these institutions was $31,489). Three, Hispanics are less likely than other students and their families to take on student loans.[27] Four, proximity to family and friends plays a major role among many Hispanic youth and young adults in the process of selecting college and shaping their perception about school environment.[28]

Observations: Catholic colleges and universities must reach out more intentionally to Hispanic Catholic youth and young adults. This requires identifying the actual contexts where they live. A starting point can be *Pastoral Juvenil Hispana* and similar ministerial efforts. Enrollment and outreach offices in Catholic colleges and universities should intentionally create partnerships with pastoral leaders working with Hispanic youth and young adults. At the same time, these pastoral leaders should take the first step to learn more about Catholic colleges and universities and establish pathways for the Hispanic young people with whom they work to consider them as an option for their professional education. Catholic colleges and universities need to examine how welcoming they are of Hispanic students. Because the majority of Hispanics live precisely in parts of the country—South and West—where there are very few Catholic colleges and universities, we need sustained conversations about establishing new institutions of Catholic higher education in those geographical regions. U.S. Catholics did it in the past with much sacrifice yet with great results. We must do it again.

Conclusion

The conversation about the education of young Hispanic Catholics in our Catholic educational institutions demands the participation of multiple voices. Besides the regular voices that are expected to engage in this conversation, starting with bishops, Catholic educational organizations, and Catholic educational leaders, we must ensure that we also involve Hispanic youth and young adults, their families, their social and ecclesial networks. This may sound commonsensical but, unfortunately, it does not seem to be happening. The absence of Hispanic leaders with decision-making power leading major conversations as educators and administrators in Catholic schools, universities, and other similar institutions is appalling. We must change this. Let's begin the conversation.

CHAPTER 2 ENDNOTES

1 "It is from its Catholic identity that the school derives its original characteristics and its 'structure' as a genuine instrument of the Church, a place of real and specific pastoral ministry. The Catholic school participates in the evangelizing mission of the Church and is the privileged environment in which Christian education is carried out. In this way 'Catholic schools are at once places of evangelization, of complete formation, of inculturation, of apprenticeship in a lively dialogue between young people of different religions and social backgrounds,'" Congregation for Catholic Education, *The Catholic School on the Threshold of the Third Millennium*. Vatican: Catholic Church, 1997, n. 11.

2 Pope Francis, *Apostolic Exhortation: The Joy of the Gospel,* On the Proclamation of the Gospel in Today's World, 2013, n. 27.

3 See Hosffman Ospino and Patricia Weitzel-O'Neill, *Catholic Schools in an Increasingly Hispanic Church: A Summary Report of Findings from the National Survey of Catholic Schools Serving Hispanic Families*. Huntington, IN: Our Sunday Visitor, 2016.

4 See National Center for Education Statistics at http://nces.ed.gov/programs/coe/indicator_cge.asp. The 2016 figure is taken from the U.S. Census Bureau's American Community Survey, 2016 Public Use Microdata Sample.

5 See Mark M. Gray, *Catholic Schools in the United States in the 21st Century: Importance in Church Life, Challenges, and Opportunities*. Washington, D.C.: Center for Applied Research in the Apostolate, 2014, 14.

6 Patricia Gándara, "Education of Latinos," *Encyclopedia of Diversity in Education*. Thousand Oaks, CA: Sage, 2012, 1345-1350.

7 During the Academic Year 2017-2018, there were 1,274,162 students in 5,158 elementary/middle schools (an average of 247 students per school) and 561,214 students in 1,194 secondary schools (an average of 470 students per school). See Dale McDonald and Margaret M. Schultz, *United States Catholic Elementary and Secondary Schools, 2017-2018*. Arlington, VA: National Catholic Educational Association, 2018.

8 See John Gramlich, "Hispanic Dropout Rate Hits New Low, College Enrollment at New High," *Pew Research Center,* September 29, 2017. Available online at http://www.pewresearch.org/fact-tank/2017/09/29/hispanic-dropout-rate-hits-new-low-college-enrollment-at-new-high/. Note: "Dropout rate" here means that these people in this age bracket never finished high school.

9 Ibid.

10 See Manuel Krogstad, "5 Facts about Latinos and Education," *Pew Research Center,* July 28, 2016. Available online at http://www.pewresearch.org/fact-tank/2016/07/28/5-facts-about-latinos-and-education/.

11 See McDonald and Schultz, *United States Catholic Elementary and Secondary Schools, 2017-2018*.

12 Ibid.

13 See Ospino and Weitzel O'Neill, *Catholic Schools in an Increasingly Hispanic Church, 31-33*.

14 U.S. Census Bureau, *American Community Survey,* 2016 Public Use Microdata Sample.

15 David Murphey, Lina Guzmán, and Alicia Torres, *America's Hispanic Children: Gaining Ground, Looking Forward,* (Child Trends, 2014). Available online at http://www.childtrends.org/wp-content/uploads/2014/09/2014-38AmericaHispanicChildren.pdf.

16 United States Conference of Catholic Bishops, *Encuentro and Mission: A Renewed Pastoral Framework for Hispanic Ministry,* USCCB. Washington, D.C. 2002, n. 55.4.2.

17 Previously unpublished quote from data gathered through the National Study of Catholic Parishes with Hispanic Ministry.

18 Ospino and Weitzel O'Neill, *Catholic Schools in an Increasingly Hispanic Church,* 44.

19 Ibid., 45.

20 Ibid., 44.

21 See John Gramlich, "Hispanic Dropout Rate Hits New Low" and Manuel Krogstad, "5 Facts about Latinos and Education."

22 U.S. Census Bureau, *American Community Survey,* 2016 Public Use Microdata Sample.

23 See the Association of Catholic Colleges and Universities (ACCU)'s website, "Five Facts about Hispanics and Latinos at Catholic Colleges and Universities". Available at http://www.accunet.org/Portals/70/Images/Publications-Graphics-Other-Images/FiveFactsAboutHispanicsinCatholicHigherEducation.jpg.

24 In January 2004 Joseph Pettit published a report called "Enrollment in Catholic Higher Education in the United States: 1980 to 2000." In the report Pettit estimated that in the year 2000 Hispanics constituted about 8.2% of all students enrolled in the 260 Catholic colleges and universities at the time. See the report available at http://cherc.villanova.edu/research/pdf_j_pettit_enrollment.pdf.

25 U.S. Census Bureau, "Facts for Features: Hispanic Heritage Month 2017". Available at_https://www.census.gov/newsroom/facts-for-features/2017/hispanic-heritage.html.

26 See http://www.accunet.org/Catholic-Higher-Ed-FAQs.

27 See Frances Contreras, "Latino Students in Catholic Postsecondary Institutions," *Journal of Catholic Education,* 19, 2 (2016), 90. See also, Manuel Krogstad, "5 Facts about Latinos and Education."

28 See Frances Contreras, "Latino Students in Catholic Postsecondary Institutions," 89-91. See also Alberto F. Cabrera and Steven M. La Nasa, "On the Path to College: Three Critical Tasks Facing America's Disadvantaged," *Research in Higher Education,* 42, 2 (2001): 119-149.

Ministry
with Vulnerable
Hispanic Youth

Vincent A. Olea

Experiences of marginalization and discrimination persist for many young Hispanics living in the U.S. today. Left unprotected and vulnerable, many inhabit the peripheries of society unable to gain support from and access to beneficial systems and institutions. Even in our Catholic faith communities, many remain hidden, ignored, and absent from our ministerial efforts. These disconnected realities present a serious problem that demands the attention of pastoral leaders if we are ever to faithfully accompany and nourish today's young Hispanics living in the peripheries.

In this chapter I propose the development of ministerial approaches that affirm what I call the salvific agency of vulnerable Hispanic young people. This is a call to transform how we do youth ministry through giving voice and accompaniment.

Unsettling Realities

While this chapter can be described as a focus on "at-risk" youth, I prefer the term "vulnerable" to the term "at-risk" when referring to young people who are negatively affected by harmful societal attitudes and problematic economic, social, and political structures. In this, I draw attention to the ills of adverse labels (e.g., "the poor," "the gangster," "the addict"), which implicitly assign blame to the individual and stigmatize the perceptions and self-identity of young Hispanics, distorting our/their ability to see the full beauty each possesses.

Through no fault of their own, many of today's young Hispanics navigate an overabundance of harmful situations influencing their daily lives. Here we are reminded of the profound effects of social dynamics such as institutional racism and poverty, which disproportionally cause detriment to the lives of people of color. The effects of such conditions upon young Hispanics are reflected in many areas of their lives, such as access to and quality of education, health care, addiction recovery, mental health care, employment, nutrition, immigration reform, and judicial justice, to name a few. The effects are also evident in the persistence of violence, police abuse, incarceration disparity, and drug usage.

Here are a few statistical examples that demonstrate how Hispanics, particularly young people, are affected by some of these realities:

Poverty: According to the U.S. Census Bureau 2016 estimates, 12.95 million Hispanics or 22.6% of the Hispanic population in the U.S. live below the poverty line, compared to 16.15% for the general population and 12.05% for whites.[1]

Education: Pew Research reports that the dropout rate for those not graduating high school is highest among Hispanics (12%) over all other populations, including black (7%) and compared to white (5%).[2]

Drug Use: The Centers for Disease Control and Prevention reports that "the prevalence of having ever used" alcohol, marijuana, hallucinogenic drugs, cocaine, inhalants, ecstasy, and methamphetamines is highest among Hispanics compared to blacks and whites.[3]

Gangs: The National Gang Center reports that 46% of the nation's gang members are Hispanic, 35% are black and 11% are white.[4]

Health Care: The U.S. Census Bureau reports that 11% of Hispanic youth (ages 14 to 17) are uninsured, compared to 4% for white, black, or Asian youth. Among young adults (ages 18 to 30), 26% of Hispanics are uninsured, compared to 10% for white and Asian, and 18% for black young adults.[5]

Overwhelmingly, these statistics call attention to the ongoing need for Catholic ministers to understand how such realities influence the young Hispanics in our communities. To that end, let us take a close look at some key areas that affect the lives of young Hispanics in ways that are often ignored or dismissed in Catholic youth ministry. These areas include: mental health, the vulnerability of LGBTQ Hispanic youth, and identity.

Mental Health

Stressors for mental illness related to these socio-economic factors contribute to a high sense of instability related to safety, belonging, financial security, life expectancy, and long-term prosperity. It is estimated that about 29.7% of Hispanics experience a mental health disorder at some point in their lives.[6]

Migration and post-migration stressors are known to contribute to depression, anxiety, and PTSD among immigrant youth. Migration stressors include traumatic events, danger, separation from family, uncertain documentation status, discrimination, lack of choice to migrate, and the acculturation process.[7] In turn, the challenges of adapting to U.S. life for immigrants, such as finding employment, learning a new language, adjusting to social norms and customs, and the experience of discrimination, generate "acculturative stress" that contributes to "low self-esteem, symptoms of depression, and greater suicidal alienation."[8]

Specific to Hispanic youth, the Centers for Disease Control and Prevention' survey *Youth Risk Behavior Surveillance–United States, 2017 revealed some concerning data:*

- Hispanic students felt sad or hopeless at a higher rate (33.7%) compared to white (30.2%) and black (29.2%) students; highest among Hispanic girls (46.8%).

- Hispanic students seriously considered attempting suicide at a similar rate (16.4%) compared to white students (17.3%) and higher than black (14.7%) students; female students of any race/ethnicity considered attempting suicide at a much higher rate (22.1%) than male students (11.9%).

■ Hispanic students (8.2%) and black students (9.8%) attempted suicide at a higher rate compared to white students (6.1%); Hispanic female students attempted suicide at a higher rate (10.5%) compared to Hispanic male students (5.8%).

■ Hispanic students were more likely to plan how they would attempt suicide (13.5%) compared to black and white students.[9]

These alarming statistics reveal the severity of mental anguish experienced by young Hispanics, especially girls. This is especially troubling considering that suicide is the third leading cause of death among youth ages 10-34.[10] Yet, only 36% of Hispanics with depression receive care.[11] These realities call for youth ministry efforts to create partnerships with local mental health professionals to develop accessible and culturally integrated ways of caring for young Hispanics and their families.

Vulnerability and LGBTQ Hispanic Youth

People who self-identify as lesbian, gay, bisexual, transgender or questioning daily suffer persecution, discrimination, and disenfranchisement. From societal and religious perspectives, they are often marginalized, harshly judged and even condemned in the name of religion and God. Although Catholics have made major pastoral inroads accompanying women and men in these groups, affirming the inviolability of their dignity as children of God, more remains to be done. Young Hispanics in these groups are members of our own faith communities and families, seeking acceptance, belonging, and support.

In 2012, the Human Rights Campaign surveyed 1,937 Hispanic LGBT youth ages 13-17. Their report observes:

- Lack of family acceptance and support is the number one problem identified by these young Hispanics.[12]

- More than half of LGBT Hispanic youth (53%) reported hearing negative messages about being LGBT from family members. Only one in four (26%) reported hearing positive messages from their families.[13]

- Two in three (66%) LGBT Hispanic youth expressed that religious leaders were a source of negative messages about being LGBT. Only 3% said religious leaders were a source of positive messages.[14]

- LGBT Hispanic youth are more likely to face harassment and violence in the community than their non-LGBT Hispanic peers and much less likely to participate in a variety of community activities.[15]

These statistics reveal alienation, discrimination, and violence suffered by young LGBTQ Hispanics. It is not an accident that 45% of homeless youth from all races/ ethnicities—in the U.S. are LGBTQ.[16] What are we doing as Catholics to accompany these young women and men?

Identity

The question of identity development among vulnerable youth can be analyzed from two perspectives: identity development as a source of confusion, stress, and alienation, and identity development as a source of resilience.

Confusion and suffering regarding identity development manifests among Hispanics, immigrants, and U.S.-born in different ways. Parents and children, representing different generations, struggle, in their own way, to navigate U.S. social systems, while feeling tension between cultures and the longing to belong. First generation U.S.-born[17] and 1.5 generation[18] Hispanics are the first in their families raised with broad exposure to the U.S. mainstream, consumer driven, social media dominant culture, while also raised in homes alive with the sounds, smells, images, tastes, and values of a Hispanic culture. They are bilingual and often serve as "language brokers" for their parents, taking on the responsibility of translating, communicating, and representing parents in English speaking situations.[19] They seek belonging, as all youth do, yet experience high stress, anxiety, and depression related to negotiating a bicultural identity.

Identity development also plays a major role in the ability to cope with and navigate through life. On this journey, our hope is that—with the support of family and the faith community–each young person is able to: a) maintain a positive sense of self and others, b) know that she/he is a valuable part of a community, and, c) as part of a community, seek ways to contribute to the transformation of community life. These words of hope and possibility point to the human capacity for resilience.

Reexamining Assumptions

The information thus far naturally prompts questions around our ability as a Church to be present to and accompany our youth who suffer. Regularly, our ministerial efforts are hindered by lack of funding and staff, inadequate training around at-risk topics, the reduction of outreach to vulnerable young people in light of the priority of sacramental preparation, insufficient ties to local services, and inadequate support by pastors and bishops. These realities need to be regularly discussed as part of our pastoral planning. We must also question certain underlying assumptions about the location of ministry and how it influences our perceptions of Hispanic young people.

A general observation of how youth ministry typically functions reveals the parish as the central location where ministry happens. There is much value to having this locus. However, when reduced to the parish, ministerial outreach to young people assumes a one-directional trajectory: only those youth who move from their particular social location to participate in parish life are the focus of ministerial offerings. Such perspective is evident in the highly influential document *Renewing the Vision: A Framework for Catholic Youth Ministry,* self-described as, "a blueprint for the continued development of effective ministry with youth and older adolescents."[20]

Critical analysis of the document reveals that, in its efforts to promote parish life as the location of ministry, it ignores the daily life of young people as a ministerial setting and a source of salvific discovery. While it discusses the living context of young people (in relation to service, pastoral care, and justice),[21] the document primarily functions to inspire youth to participate in the mission of the Church and parish life. While that is important, it does not validate or highlight the presence of God's activity outside this context. It does not suggest or inspire challenges to uncover the salvific themes already active in the daily lives of young people.

Underneath the one-directional trajectory lies a hidden assumption embedded in most Catholic approaches to ministry with young people: the salvific potential for young people is measured in relationship to their involvement in parish life, which correspondingly assumes a deficiency of salvific potential alive in their secular everyday lives. Given this assumption, it is not surprising that little attention is given to the development of creative strategies, approaches, and theological considerations designed to uncover the salvific themes and relational fecundity manifested in the everyday lives of young Hispanics.

The recognition of this hidden assumption can serve to inspire pastoral leaders to functionally shift the trajectory and location of ministry to include the totality and complexities of everyday life, as proposed in the conclusions of the *Primer Encuentro Nacional de Pastoral Juvenil Hispana* (PENPJH):

> Bringing the Good News to Hispanic *jóvenes* implies action outside of the church buildings, the parish facilities, and the weekly meetings. It moves us from the pews to the shoes…seeking out the *jóvenes* in their homes, their schools, their workplaces, their neighborhoods, as well as the movie theaters, dances, labor camps, and wherever else they live and gather.[22]

By expanding the trajectory and location of ministry outward, we begin to raise consciousness around the salvific potential of youth who live outside the boundaries of parish life. In doing so, faith communities serving Hispanic youth, particularly those who are most vulnerable, will affirm *lo cotidiano* (the everyday) as a viable starting point (not as an afterthought), leading to the discovery of the salvific dimensions active in their everyday lives.

Strategies to Accompany Vulnerable Hispanic Youth

The following strategies function as invitations to re-envision youth ministry from within the relational essence of each person, knowing that *all beings are created to be in-relationship*.[23] As discussed earlier, this relational reality comes alive in the context of daily life. It is there, in the everyday, with its lights and shadows, where we experience salvation. Ministry with vulnerable Hispanic youth demands being in relationship with them in the particularity of their everyday lives.[24]

To See: To *see* demands the intentional investing of time and energy in order to look deeply into the lives of young people. When setting out *to see* the lives of young Hispanics, we want to see *who they are,* which involves identity (religious, cultural, relational, gender, street, etc); *where they are,* which involves their location, social settings, economic-political context, etc; and *how they are,* which centers on how they express and/or hide their identity, relationality, spirituality, brokenness, values, aspirations, needs, etc.

Foregrounding: Theologian Alejandro García-Rivera speaks of foregrounding as "the lifting up of a piece of background and, then, giving it value, therefore 'foregrounding' it."[25] By investing in the daily lives of Hispanic young people, and creating ways to give voice and generate dialogues, pastoral leaders foreground pains, struggles, and issues hidden in the shadows of their lives. By creating space to give voice and/or by recognizing that which is not voiced, we carry their burdens with them, as Jesus does with us. In doing so, with the upmost care, we bring these sufferings into communal space, which is where healing and transformation happens. By inviting community members to pray, and by drawing upon community resources, the community is able to walk with young people in facing injustices and in bringing about healing and hope.

Uncovering Salvific Themes: The experiences and stories of vulnerable Hispanic young people are full of salvific themes that point to relationships, the challenges that hinder those relationships, and their constant search for meaning. In giving voice to these stories, salvific themes

47

emerge, such as friendship, forgiveness, death, initiation, the body, play, street life, shame, hope, violence, La Virgen, the act of walking, and hopelessness, to name a few.[26] We must listen to those stories. Our ministry to this population requires that we go out to them with a listening heart and create spaces to learn from them.

Identity Development: In my work with vulnerable Hispanic youth I have found great benefit in starting with simple, yet foundational questions: Who are you? Where do you come from? Who is your God? What are your dreams? These questions have lead to deep discussions involving border crossings, struggles with a bicultural identity, family-cultural traditions and values, dreams of education, family, and careers, and the sharing of pains, fears, challenges, and needs.

When we facilitate dialogues about the unique ways Hispanic young people are Hispanic, religious, and relational, their identities develop. These dialogues give them the opportunity to talk about identity and how such identity is valued and supported by family and community members. This, of course, emboldens familial and communal protective factors for vulnerable Hispanic youth, contributing to their resiliency. Overall, by engaging Hispanic youth at this level of being, family and community are able to accompany and foster the growth of Hispanic youth from the inside out. In gaining trust and access to who they are, we are able to nurture the development of key areas of identity that promote a positive and generative sense of self and community.

CHAPTER 3 ENDNOTES

1 U.S. Census Bureau, *American Community Survey,* 2016 Public Use Microdata Sample.

2 Jens Manuel Krogstad, "5 Facts about Latinos and Education," *Pew Research Center* (July 28, 2016). Available online at http://www.pewresearch.org/fact-tank/2016/07/28/5-facts-about-latinos-and-education/.

3 Laura Kann, Tim McManus, William A. Harris, et al., "Youth Risk Behavioral Surveillance – United States, 2015," Centers for Disease Control and Prevention, *Morbidity and Mortality Weekly Report,* vol. 67, no. 8 (June 15, 2018), 43-56. Available online at https://www.cdc.gov/mmwr/volumes/67/ss/pdfs/ss6708a1-H.pdf.

4 National Gang Center, "National Youth Gang Survey Analysis," (2011). Available online at https://www.nationalgangcenter.gov/Survey-Analysis/Demographics#anchorregm.

5 U.S. Census Bureau, *American Community Survey,* 2016 Public Use Microdata Sample.

6 Margarita Alegría, Glorisa Canino, et al. "Prevalence of Mental Illness in Immigrant and Non-Immigrant U.S. Latino Groups," *The American Journal of Psychiatry,* 165(3), (2008), 363. Available online at http://ajp.psychiatryonline.org/doi/pdf/10.1176/appi.ajp.2007.07040704.

7 Stephanie R. Potochnick and Krista M. Perreira, "Depression and Anxiety among First-Generation Immigrant Latino Youth: Key Correlates and Implications for Future Research," *The Journal of Nervous and Mental Disease,* 198, 7 (July 2010): 4-5. Available online at http://www.ncbi.nlm.nih.gov/pmc/articles/PMC3139460/.

8 Ibid., 2.

9 Kann, McManus, Harris, et al., 23-27.

10 Centers for Disease Control, "Preventing Suicide 2018". Available online at https://www.cdc.gov/violenceprevention/pdf/suicide-factsheet.pdf.

11 Mental Health America, "Latino/Hispanic Communities and Mental Health," (2016). Available online at http://www.mentalhealthamerica.net/issues/latinohispanic-communities-and-mental-health.

12 Human Rights Campaign Foundation, "Supporting and Caring for our Latino LGBT Youth," (2012), 2. Available online at http://lulac.org/assets/pdfs/LGBT-LatinoYouthReport.pdf.

13 Ibid., 18.

14 Ibid., 27.

15 Ibid., 3.

16 Andrew Cray, Katie Miller, Laura E. Durso, "Seeking Shelter: The Experiences of Unmet Needs of LGBT Homeless Youth," *Center for American Progress* (September, 2013), 5. Available online at https://www.americanprogress.org/wp-content/uploads/2013/09/LGBTHomelessYouth.pdf.

17 Eighty-five percent of Hispanic youth are U.S.-born according to the U.S. Census Bureau's *American Community Survey,* 2016 Public Use Microdata Sample.

18 1.5 generation are people who migrated at a young age and were raised in a host country.

19 Gabriel P. Kuperminc, Natalie J. Wilkins, Cathy Roche, and Anabel Álvarez-Jiménez, "Chapter 13: Risk, Resilience, and Positive Development among Latino Youth," *Handbook of U.S. Latino Psychology: Developmental and Community-Based Perspectives*, eds. Francisco A. Villarruel, Gustavo Carlo, et al. Los Angeles: Sage, 2009: 224.

20 United States Conference of Catholic Bishops, *Renewing the Vision: A Framework for Catholic Youth Ministry*. Washington, D.C.: USCCB, 1997, 1.

21 Ibid., 18-20.

22 National Catholic Network de Pastoral Juvenil Hispana–La RED, *Primer Encuentro Nacional de Pastoral Juvenil Hispana Conclusiones: Bilingual Edition*. Washington, D.C: United States Conference of Catholic Bishops, 2008, 34.

23 Cf. Roberto S. Goizueta, *Caminemos Con Jesús, Toward a Hispanic/Latino Theology of Accompaniment*. New York: Orbis Books, 1995, 50-51.

24 I propose twelve ministerial strategies based on a relational salvific context. See Vincent A. Olea, *But I Don't Speak Spanish: A Narrative Approach to Ministry with Today's Hispanic Young People*. New Jersey: Paulist Press, to be released in 2019.

25 Alejandro García-Rivera, *The Community of the Beautiful: A Theological Aesthetics*. Collegeville, MN: The Liturgical Press, 1999, 35.

26 For an in-depth examination of the salvific themes of non-religious inner-city Hispanic youth, see: Vincent A. Olea, "Cariño-Fighting and the Somatic Nature of Salvation Between Generations," *U.S. Hispanic Ministry.com, (2016). Available online* at https://ushm.atavist.com/carino-fighting.

MINISTRY WITH HISPANIC YOUNG PEOPLE IN PARISH LIFE

Brett Hoover

I t is not easy to be young and Hispanic[1] in contemporary Roman Catholic parish life. In a recent graduate course I taught on pastoral theology and ministry in Southern California, almost all the students—45% of whom were Hispanic—worried a great deal about young people's role in parish life today. Parish and diocesan leaders in general share this genuine concern, although they are often driven by nostalgic reflections on parish life during their younger days.[2] Thus, as jóvenes and their pastoral leaders argued at the *Primer Encuentro Nacional de Pastoral Juvenil Hispana* (First National Encuentro for Hispanic Youth and Young Adults, PENPJH) in 2006, we need to pay particular attention to the pastoral reality and cultural situation of today's diverse group of Hispanic youth and young adults, to listen to what they and others who know them say about parish life.[3]

To do this, in this chapter I draw from the results of a survey of more than 550 pastoral leaders involved in Hispanic youth and young adult ministry across the nation[4] as well as open-ended interviews conducted with three diocesan officials who work with Hispanic youth and young adults. I outline an ecclesiological vision to guide conversations about parish ministry with Hispanic youth and young adults[5], suggest some contextual factors that shape such ministry, and identify the state of such ministry in parishes today.

One disclaimer: I do not speak as an insider or on behalf of Hispanic youth and young adults. I cannot. My purpose instead is to offer testimony, allowing the voices from Hispanic communities to emerge for themselves, certain that the Holy Spirit speaks through them. This living interpretation works through lights and shadows, acknowledging the transformative Christian practice that grace sustains the faith and Christian lives of Hispanic young people in Catholic parishes, but also the inadequate practice that cries out to God for redress and convicts those of us who already exercise leadership in faith communities.

Responsibilities of the Parish: An Ecclesiological Vision

What we today call "parishes," especially territorial parishes, trace their roots to the time of the Council of Trent. On the one hand, the territorial parish structure encourages pastoral agents to think of all of the Christian faithful in a given place as those for whom they are responsible, and canon law affirms this responsibility (*Code of Canon Law*, c. 518), even extending it beyond the Christian faithful at times (c. 528 §1). On the other, the focus on the territoriality of the parish in the church after Trent has often reduced the parish to nothing more than a geographical subunit where sacraments are "provided" for the faithful in sanctioned chapels. Vatican II sought to restore a sense of the local faith community as *community*. Canon law now calls the parish "a definite community of the Christian faithful established on a stable basis within a particular church" (c. 515 §1).

Vatican II introduced a turn to communion (*koinonia*) in ecclesiology that has potential for bringing together these two understandings of the parish. Rooted in the relationality and unity-in-diversity of the Trinity, communion emphasizes the bonds established by the Holy Spirit through baptism in Christ that tie the faithful to the Trinitarian God and to one another. Communion rejects any notion of parish life as congregational—that is, as a voluntary gathering of people who chose to participate together. All parishioners at all parishes are bonded together, and the bishop symbolizes the unity of those bonds. Pope Francis asserts, "The bishop must always foster this missionary communion in his diocesan church, following the ideal of the first Christian communities, in which the believers were of one heart and one soul (cf. Acts 4:32)."[6] Communion ecclesiology reminds those most involved in parish life that they are not "more Catholic" than the local Christian faithful who appear only intermittently (or not at all) but all remain knit together in one church in Christ by the Holy Spirit. All are deeply responsible for the needs of one another, human and pastoral.

Communion ecclesiology also reminds us that the Spirit has bestowed charisms on all the faithful by virtue of their baptism, and these charisms exist for the good of all.[7] The parish then becomes a kind of "concert of charisms" called to mission for the good of all. U.S. Hispanic interpreters of *Pastoral Juvenil Hispana* have long described Hispanic youth and young adult ministry as a communal process of discerning one's charisms and vocation in the service of communion and mission in the world. They affirm that parishes and other local faith communities are "where the healing power of Jesus touches the *jóvenes*, tells them who they are in his eyes, and gives them the grace to confront the challenges they face in life."[8] When Catholic *jóvenes* do not discover their charisms and vocation to mission in the world, we must acknowledge honestly that parishes and dioceses have failed them.

Contextual Factors Affecting Outreach to Hispanic Youth in Parishes Today

Interpreters of the situations that shape the lives of Hispanic youth and young adults in parishes have a responsibility to "read the signs of the times" (*Gaudium et Spes*, 4). First, we must recognize that in Hispanic Catholicism, the parish is not necessarily the only or even the primary *locus* of Catholic identity and faith formation. Hispanic theologians have long pointed to the crucial role of *familia* and popular religion as cradles of formation and identity for Hispanic Catholics, a primary place of reflection on Christian life and practice.

And yet, in the United States, the parish has a more deeply ingrained role as a social structure for Catholics than in most of Latin America.[9] Most ministry and worship take place there under the authority of a priest pastor, not at shrines, neighborhoods, or homes. Often even popular religion moves to the parish.[10] Likewise, *Pastoral Juvenil Hispana*, even when occurring under the auspices of an apostolic movement, most frequently occurs within parishes. Ministry with Hispanic youth and young adults occurs in parishes that remain almost entirely Hispanic but also within distinct Hispanic congregations that operate within a parish shared with other groups, usually Anglo Catholics.[11]

In either case, Hispanic parish communities often function as "safe spaces" away from the demands and discriminations of the predominant culture, especially for immigrants. However, U.S.-born Hispanic youth who have experienced significant discrimination themselves, or have seen their family members experience it, also see Hispanic parishes as safe spaces. Such perception breeds a sense of distrust toward mainstream institutions and communities. In many cases, ministerial initiatives like *Pastoral Juvenil Hispana* emerge because Hispanic youth and young adults do not feel that their experience is adequately understood or appreciated in mainstream groups. These groups allow them to affirm culture, a shared religious experience, and even social location.

To many non-Hispanic (and some Hispanic) pastoral leaders, however, such a desire to form distinct groups offends assimilationist sensibilities. One parish leader proudly noted, "Our parish is blessed to have *one* youth group. We don't separate Anglo and Hispanic youth groups." They want Hispanic young people to join up with Euro-American mainstream groups, decrying any other approach as "separatism." They have a hard time recognizing the unique cultural heritage of Hispanic Catholicism. In that context, Hispanic parents and young people may feel acute loss. One Hispanic diocesan director pointed to the complaints of Hispanic parents, "Now you are taking [our children] away from us. We have so little, and now you are taking that away from us." Yet much of this suffering and alienation remains invisible to assimilationist leaders.

Socioeconomic factors also shape how ministry to Hispanic youth and young adults unfolds vis-à-vis the mainstream. Many mainstream parishes have a long history of hiring professional youth ministers, while most *Pastoral Juvenil Hispana* is led and supported by volunteers.[12] Some shared parishes have both volunteers and paid youth ministers, leading to resentment. In one parish, a volunteer youth minister had to buy all her own supplies from her own pocket while the part-time youth minister who led the Euro-American youth ministry (which also served a small number of U.S.born Hispanics) had a budget. In poorer locations (often hit harder by the 2008 recession), more Hispanic young people are involved (or at risk of being involved) in gangs, creating an entirely different pastoral need among Hispanic youth and young adults.

One final factor with major impact on parishes with Hispanic youth and young adult ministry is the priest sex abuse scandal that erupted in 2002. After payouts from lawsuits resulted in layoffs, it took parishes—and dioceses—serving Hispanic young people a long time to reinstitute personnel. Yet more influential upon *pastoral juvenil* is the implementation of rigid safe environment policies limiting way in which Hispanic youth groups have traditionally been organized. Participants in the *Primer Encuentro Nacional de Pastoral Juvenil Hispana* observed:

> Since 2002, many dioceses have made efforts to separate the *jóvenes* in the parish *grupos juveniles* into two age groups: those who are older and those who are younger than 18 years old. However, most of the parishes that participated in the diocesan *encuentros* in 2005 and 2006 were still serving *jóvenes* ages 16 and older in a single parish *grupo juvenil.* Some groups also included adolescents between 13 and 15, or even pre-adolescents.[13]

In 2009, Ken Johnson-Mondragón affirmed that many *pastoral juvenil* groups remained unaware of these policies, and that many diocesan personnel, out of pastoral sensitivity, did not wish to force the issue.[14] Recent observations suggest that ministry to Hispanic adolescents and young adults now occurs largely in separate groups and, for better or worse, an increasing number of pastoral leaders now take it for granted that youth and young adults should not share ministry in a single group.[15]

Hispanic Youth and Young Adults in Parish Life Today

While the challenges that parishes face in their outreach to Hispanic Catholic youth and young adults are many, nearly everyone agrees that the biggest of them is that the groups and ministries of our parishes and dioceses still do not reach most Hispanic young people, even though they are the vast majority of young Catholics. Regrettably, too many parishes simply have nothing for Hispanic young people.[16] The National Study of Catholic Parishes with Hispanic Ministry found that only four in ten of these parishes had any formal program ministering specifically to Hispanic young people. One pastoral leader from the south observed that whether or not such ministry existed "really depends on what parish the youth are involved in." A supportive pastor (or bishop) makes a big difference. Some parishes talk about it but do not invest resources in Hispanic young people. A youth minister noted, "The parish said youth ministry was important but I had the smallest budget and had a ten-hour position."

Even where culturally sensitive resources and programs exist, many Hispanic young people show no interest. Many have opinions as to why, yet we need more responsible research to understand why. Some pastoral leaders offer moralistic answers that blame young people as lazy or too secular or individualistic, while others point to involvement in school life or other activities. A few speak of the research on Hispanic young people who choose "no religion," but it is not at all clear what that means for a people whose faith and culture remain interconnected. Some pastoral leaders simply argue that a crucial problem is the lack of missionary outreach, despite the call of Pope Francis to accompany people beyond church walls.

But many parishes and apostolic movements *do* have groups and ministries for Hispanic youth and young adults. In such parishes, there has been an ongoing change in *pastoral juvenil* groups toward more use of English and serving and drawing leaders from among the U.S.-born. This matches larger demographic shifts to a U.S.-born majority among young Hispanics. Regional differences matter, however, with most *grupos juveniles* in the South—where more people are recent immigrants—still favoring Spanish.[17] Despite this ongoing shift, most pastoral leaders still argue that especially the U.S.-born are underserved in parishes, perhaps in part because of their large numbers. Many *pastoral juvenil* groups still mostly attract immigrants, especially among the apostolic movements. Moreover, the question of language remains more complicated than it seems. Do Hispanic Catholic youth prefer English or Spanish to talk about their faith? A group claiming to serve primarily in Spanish or in English may actually function more or less bilingually or via Spanglish, and that may be precisely the comfort zone of the young people.

According to the sources supporting this analysis, many Hispanic youth and young adults do not participate in *jóven*-specific ministries like *Pastoral Juvenil Hispana* groups but *do* participate in parish life. Unlike in the Euro-American community where youth and young adult participation can be scarce, many young Hispanics serve in liturgical ministries in their parishes. The dramatic representations of *religión popular*—*Via Crucis* processions on Good Friday, *pastorelas* near Christmas, and the recreation of the story of the Virgin of Guadalupe—also generate a lot of young participation, so much so that youth and young adults may make up nearly all of those who participate. Of course, the most common place for youth involvement in parish life is faith formation, much more so than in *Pastoral Juvenil Hispana*. However, once young Hispanic Catholics receive the sacraments, like the rest of their Catholic peers, the majority do not return for further formation.

It is also worth mentioning large *eventos* such as diocesan retreats; youth day celebrations with talks, workshops, and worship; participation in the Fifth Encuentro process; and leadership formation mini-courses. Thousands of young Hispanic Catholics attend an evening dance for young adults during the Los Angeles Religious Education Congress. Many of the apostolic movements sponsor diocese-wide retreats and courses. In their own category are the leadership formation courses and conferences run by Instituto Fe y Vida and the Southeast Pastoral Institute (SEPI).

Finally, a few dioceses and movements have undertaken initiatives in internet, social media, and web-based video ministry. Research shows that Hispanic youth and young adults make use of new media as much as or more than young people in other communities.[18] Some parishes and dioceses support and sustain ministries reaching out to the large number of young people already involved or at risk of being involved in gang life. These support groups and outreach organizations are more common at the diocesan than at the parish level (where they may unfortunately receive little welcome). However, the best known among such ministries, Homeboy Industries, actually began when a Jesuit priest in a parish in Los Angeles, Fr. Gregory Boyle, SJ, hustled to find work (and hope) for former gang members and ex-convicts. It is a concern that almost no Catholic parishes or dioceses have significant ministerial outreach to LGBT Hispanic youth and young adults, despite the rising visibility of young people in this demographic group.

A Call to Responsibility

Our Catholic ecclesiology clearly affirms the pastoral responsibility of parishes and diocesan structures toward all the baptized. Yet the gifts of Hispanic youth and young adults often go uncultivated, their pastoral needs unrecognized, and their voice essentially silenced. The whole church suffers as a result. We can only wonder what might be accomplished if more of these young people bearing the image and likeness of God felt themselves called and empowered for mission by fellow Catholics in faith communities. A Director of Youth and Young Adult Ministry in one diocese said, "We know what is required... but we have yet to really do it well."

CHAPTER 4 ENDNOTES

1 In this chapter, guided by church usage, I have opted for *Hispanic* over *Latino,* although in my own university context in the West, the latter is often preferred.

2 Brett C. Hoover, "Memory and Ministry: Young Adult Nostalgia, Immigrant Amnesia," *New Theology Review,* 23, no. 1 (February 2010): 58.-67.

3 National Catholic Network de Pastoral Juvenil Hispana—La RED, *Conclusiones: Primer Encuentro Nacional de Pastoral Juvenil Hispana.* Washington, D.C.: United States Conference of Catholic Bishops, 2008, 57.

4 The survey was conducted in 2015 by the organizers of the National Colloquium on Hispanic Youth and Young Adult Ministry hosted by Boston College the following year in partnership with the National Catholic Network de Pastoral Juvenil Hispana—La RED.

5 A Euro-American coordinator/consultant in youth ministry and two Hispanic diocesan Directors of Youth and Young Adult Ministry, all three from dioceses in the West.

6 Pope Francis, *Evangelii Gaudium,* 31.

7 Kathleen Cahalan, *Introducing the Practice of Ministry.* Collegeville, MN: Liturgical Press, 2010, 24-47.

8 La RED, *Conclusiones: Primer Encuentro Nacional de Pastoral Juvenil Hispana,* 32-33.

9 Allan Figueroa Deck, *The Second Wave: Hispanic Ministry and the Evangelization of Cultures.* New York: Paulist, 1989, 58.

10 Brett C. Hoover, *The Shared Parish: Latinos, Anglos, and the Future of U.S. Catholicism.* New York: NYU Press, 2014, 87-93.

11 According to the National Study of Catholic Parishes with Hispanic Ministry, 43% of the parishioners in such parishes are Anglos. Hosffman Ospino, *Hispanic Ministry in Catholic Parishes, Summary Report of Findings from the National Study of Catholic Parishes with Hispanic Ministry.* Huntington, IN: Our Sunday Visitor, 2015, 14.

12 Cf. Ibid., 37.

13 La RED, *Conclusiones,* 23. See also, Carmen M. Cervantes and Ken Johnson-Mondragón, "Pastoral Juvenil Hispana, Youth Ministry, and Young Adult Ministry: An Updated Perspective on Three Different Pastoral Realities," *Perspectives on Hispanic Youth and Young Adult Ministry,* Publication 3, 2007, 1-4.

14 Ken Johnson-Mondragón, "Hispanic Youth and Young Adult Ministry," in *Hispanic Ministry in the 21st Century: Present and Future,* ed. Hosffman Ospino. Miami: Convivium, 2010, 116.

15 See Cervantes and Johnson-Mondragón, "Pastoral Juvenil, Youth Ministry, and Young Adult Ministry," 4.

16 Ospino, *Hispanic Ministry in Catholic Parishes,* 37.

17 Ibid.

18 Patricia Jiménez and James Caccamo, "Hispanic Ministry and New Media," in *Hispanic Ministry in the Twenty-First Century: Urgent Issues,* ed. Hosffman Ospino et al. Miami: Convivium, 2016, 102.

FOSTERING PARTICIPATION OF YOUNG HISPANICS IN CHURCH AND SOCIETY

Antonio Medina-Rivera

The attention of Catholic pastoral leaders in the twenty-first century has increasingly shifted towards finding better ways to address the needs of Hispanic Catholic youth and young adults. At the heart of such attention is the question of how our ministry can empower Hispanic youth to participate more actively in the life of the church and in the larger society in light of their "Hispanic" and "Catholic" identities.

This chapter analyzes whether Hispanic youth and young adults are engaged in the church and in the larger society or not, determining the level and nature of that participation. The chapter focuses on the areas where this participation is evident and on some notably good documented practices. I also examine some of the main obstacles that hinder such engagements from becoming a reality. It is not possible to address the needs of young Hispanics without paying attention to the role of the family in their lives.

Everyone's Responsibility

In 2016, the Pew Research Center observed that "Hispanics are the youngest major racial or ethnic group in the United States. About one-third, or 17.9 million, of the nation's Hispanic population is younger than 18, and about a quarter, or 14.6 million, of all Hispanics are millennials (ages 18 to 33 in 2014)."[1] These results represent a major change in demographics, both for our society and for the Church. For the Church, these numbers represent a more critical challenge since Hispanics constitute more that 40% of the total Catholic population in the United States.

Looking at demographics from an age group perspective, Ken Johnson-Mondragón indicates that "Latino/a children are already about half of all Catholics under age 18 in the United States, and Latino/as are poised to become the majority of all Catholics in less than 40 years."[2] School districts such as Los Angeles and Miami are challenged by a student population that has shifted towards a Hispanic majority. In the particular case of Texas:

> Latinos now comprise more than 50 percent of students in the Texas public schools... These numbers are forcing some Texas school districts to question just how equipped they are to teach a burgeoning number of poor students who don't speak English. So far, studies by NCLR, Texas Familias Council and Texas Higher Education Journal show Texas schools have not been doing a good job teaching Hispanic children.[3]

Catholics must be vigilant about these demographic realities. Poverty, lack of opportunities and representation, language differences, and questions about acculturation are not just social problems but also ecclesial.

The closing of offices along with the shifting away of resources that used to serve Hispanic Catholics, especially the young,[4] reflect the inability of many contemporary Catholic structures in the U.S. to address properly the needs of the Hispanic community. Many Catholics still perceive the Hispanic population as one isolated and difficult to understand "minority." This is not a plea to return to what was. We need a renewed attitude toward Hispanic Catholics in light of current demographic changes. We need a renewed understanding of what it means to be Church in the United States today. This will require that every office and initiative serving Catholic youth, at the parish, diocesan and national level, make the pastoral care of Hispanic Catholic youth and young adults a priority.

Participation in the Church

If Hispanics constitute the majority of all U.S. Catholic youth and young adults, one of the top priorities for bishops in dioceses and parishes should be ministering to this population, affirming their protagonic role, and finding ways to retain them by welcoming and nurturing in the Church. A survey of more than 550 pastoral leaders involved in Hispanic youth and young adult ministry across the nation[5] yielded important results that inform this analysis.

One question in this survey asked: "How important is the ministry with young Hispanic Catholics/*Pastoral Juvenil*

Hispana in your group/parish/diocese/organization?" The responses to this question varied depending on the reality of each diocese or local church. Two positive responses are:

1. Exceedingly important. I would say that at this time it is a vital dimension of "rebuilding" youth ministry efforts in [the archdiocese]. When the archdiocese closed its youth ministry office in 2008 as many Anglo groups disappeared— although some continued but were weakened because of the lack of communication—Hispanics involved in *Pastoral Juvenil Hispana* continued their ministry, basically assuming the work that the office that closed had been doing. These leaders persevered bringing the Hispanic groups together and creating opportunities for these groups to remain active and in collaboration. Mindful of what it means to be Church, *Pastoral Juvenil Hispana* leaders have been partners and friends in this reconstruction. I have no doubt that without these leaders a new beginning would not have been possible. I am glad that we can count on them without hesitation to accomplish what God wants from us.[6]

2. It is very important. That is why my position was created at the diocese. To be a support and resource for the bishop and parishes when it comes to the Latino youth and families. That is also why I have taken upon myself to visit the parishes of our diocese and learn about their accomplishments and to ask how I can better serve them.[7]

These, along with most responses to the question, exhibit a strong element of optimism. The two responses above refer to two different realities. Example 1 refers to the closing or merging of the office of youth ministry; example 2 calls for the opening of one.

Example 1 is optimistic in the sense of gathering and organizing Hispanic youth and young adults even during times of crisis; example 2 signals hope for growth at the diocesan level.

Example 1 is typical of some of the oldest and largest dioceses in the country; example 2 illustrates the reality of small U.S. Catholic dioceses that until recently had not been confronted or had done little to respond to large numbers of Hispanic Catholics in their territories.

Example 1 also reflects the effects of the restructuring triggered by the Conference of Catholic Bishops closing its office explicitly focused on Hispanic Catholics as well as the dwindling of resources for ministry everywhere.

However, a number of answers to the same question reveal signs of concern. For instance:

- It is not a top priority, but we have only been intentionally engaged in Hispanic ministry for a few years. Hispanic ministry addresses all the "general" areas: sacraments, religious education for children, etc. But we are still branching out and making connections. I have a feeling this will become more of a priority for us as it has in the "Anglo sector" of the parish. But how rapidly that will happen, I don't know. Because of our budget, we have neither a paid Hispanic Ministry director nor a full-time young adult ministry person on staff.[8]

■ I think it is very important; however we have no bilingual leadership to care for their pastoral needs and very little Hispanic leadership to move the ministry forward.[9]

These two examples reveal concerning realities such as lack of support, limited funding for ministry with Hispanic youth and young adults, and a perception that Hispanics are treated as "second class" Catholics. Several dioceses attribute the closing or merging of ministerial offices serving Hispanic Catholics to the financial crisis that affected dioceses in the early part of the 21st century, especially because of settlements to address clergy sexual abuse cases and economic downturns. The question remains why the offices most severely affected by both crises were those providing services to Hispanic Catholics and other minority groups.

Ministry to Hispanic adolescents in the Catholic Church in the United States is not as developed and widespread as the ministry for Hispanic young adults. In many ways, the models and programs that serve Hispanic young people are the same as those available to the mainstream Catholic population, which often fall short addressing the linguistic and cultural differences of Hispanics. To serve young Hispanic Catholics better, it is worth revisiting the categories that Ken Johnson-Mondragón has identified in earlier writings, which are based on this population's processes of acculturation and integration in the United States. Johnson-Mondragón speaks of the differentiated needs of young Hispanics who are immigrant workers, identity seekers, mainstream movers, and gang members.[10]

Many times youth ministry programs develop to address the sensibilities of middle- and upper-class families, with focus on young people who attend Catholic schools, thus sidelining most Hispanic youth since the majority are not in those socio-economic brackets and only a fraction attend Catholic schools. Therefore, most outreach to Hispanic youth is limited to sacramental preparation, especially Confirmation programs.

It is often assumed in ministerial circles that Hispanic youth will naturally—and willingly—transition into mainstream (i.e., Euro-American) Catholicism, leaving behind their cultural and linguistic differences. The presupposition is naïve and reveals a lack of understanding of this group. Fluency in English does not mean assimilation. There are cultural, psychological, and socioeconomic differences that require that ministry with Hispanic youth retain its particularity:

> There are many factors that may contribute to these disparities in religious participation. Studies in psychology and sociocultural issues, corroborated by our pastoral experience, show that while all teens engage in certain developmental processes associated with adolescence, there are significant social and cultural differences between Hispanic teens and their non-Hispanic peers and youth ministry leaders. We

believe that these differences are the decisive factors that prevent hundreds of thousands of Latino/a teens from participating in parish youth ministry programs, often despite the concerted efforts of their parents to get them involved.[11]

After almost thirty years of experience with Hispanic young adults in the Catholic Church, I believe that they are a significant sign of hope for the Church. Nevertheless, they need the affirmation and guidance of church leaders. Parishes with a strong Hispanic young adult ministry are among the most vibrant and dynamic churches I have seen through my travels across the country. Several organizations have stepped up to the plate, particularly the South East Pastoral Institute and the Instituto Fe y Vida, to support ministry with this population and have contributed significantly with leadership formation initiatives. Yet, this work many times is limited to immigrant young adults who are fluent in Spanish who arrive with strong pastoral experiences from their native Spanish-speaking countries. Much more remains to be done to serve, form, and accompany Hispanic young adults who are U.S.-born and mostly English-speaking.

In 1997, the U.S. Conference of Catholic Bishops published a pastoral plan to minister to young adults.[12] Although the document clearly makes reference to cultural differences among this sector of the Catholic population, there is, however, no clear acknowledgement of the significant growth and specific needs of Hispanic young adults. The document needs to be revisited, explicitly incorporating the questions, realities, and needs of Hispanic Catholics. What's more, since more than half of all U.S. Catholics younger than 30 are Hispanic, it seems natural and necessary that Hispanic leaders with clear experience in this area of ministry in the Church lead the team guiding such revision.

Participation in Society

Let us begin this section with two questions: to what extent are Hispanic youth and young adult Catholics involved in politics and the construction of the common good in our society? Are they aware of the potential influence they can have in society and government? Answers to these questions are usually conditioned to the realities that shape the lives of Hispanic youth and young adults. Many Hispanic young adults live in the country without legal status. Many are struggling to survive in difficult environments with little time and energy to engage in political or social organizing.

There is an urgent need for Catholic parishes, dioceses, and organizations to engage Hispanics who are better off in our U.S. society, educationally and financially, so they can stay connected with the community, serve as role models, and become voices that raise important questions. In Cleveland, OH, for example, Esperanza, Inc.[13] invites Hispanic adults and young adults to become mentors and tutors for the younger generation. Studies across the nation indicate that mentoring programs have a positive impact on underrepresented groups.

Without a doubt, education will play a major role in increasing and strengthening the participation of Hispanics in society. Educational attainment among Hispanics remains very low, especially at higher educational levels. The Catholic Church in the United States, in its renewed commitment to Hispanic youth and young adults, must make a priority the education of this population, both increasing their enrollment in Catholic educational institutions as well as advocating for better public education for Hispanics. Although the religious formation of Hispanics is important, this is just part of a larger equation. Catholics need to form Hispanic professionals for the sake of a stronger Church and a stronger society.

Pastoral Recommendations and Conclusion

Building upon the previous analysis, I now offer a series of recommendations for ministry with Hispanic youth and young adults. These recommendations come from my own ministerial experience, research done on this important topic, and conversations with pastoral leaders committed to ministry with Hispanic youth and young adults.

When working with Hispanic Catholic adolescents...

Teach them practices of social engagement and political participation such as writing letters to political, social and religious leaders, participation in marches, and educating themselves about how government works at its various levels, learning especially about the importance of affirming the voice and participation of faith communities.

Provide adequate formation at the parish, diocesan, and national levels to adults and young adults who have a genuine vocation to work with Hispanic youth. This formation must prepare these pastoral leaders to cultivate intercultural competencies.

Increase the number of certified Hispanic catechists and catechists working with Hispanic teens, especially in Confirmation programs. Confirmation programs are effective opportunities to transition teens into a fully dynamic and committed participation in the Church.

Involve parents and other family members in Hispanic youth ministry initiatives. A strong youth ministry is not possible without the participation and involvement of families.

Incorporate prevention programs as part of ministry with Hispanic adolescents, addressing some of the critical issues that affect their lives (e.g., teenage pregnancy, violence, effects of school dropout, gang activity, etc.) and educate them as early as possible. Many studies emphasize the positive impact of success of mentoring and after-school programs.

Invest in initiatives that intentionally welcome Hispanic youth in Catholic groups, parishes, apostolic movements, and organizations. Make sure that these initiatives address the developmental, emotional, and social needs of this population.

Increase the presence of Hispanic students in Catholic schools. Catholic education should not be a privilege for a small group, but a right and need to all our Catholic children.

When working with Hispanic young adults...

Encourage them to identify social and political causes for which they are willing to advocate publicly, educate themselves about such causes, particularly through the lens of the Christian tradition, and exercise their responsibilities as citizens working for the common good.

Support and encourage young adults who are active in the Church to receive the necessary formation to become effective leaders to lead and inspire fellow Hispanics, and others.

Distinguish between the pastoral needs of newcomers (immigrants) and U.S.-born Hispanic young adults or those who are already integrated in the larger culture, including their children.

Pay attention to the sacramental and faith formation needs of Hispanic Catholic young adults. Create spaces in Catholic churches, groups, and organizations where they feel at home.

Retrain established pastoral leaders—Hispanic and non-Hispanic—to embrace models of pastoral activity that affirm collaboration (pastoral de conjunto), respect for diversity, and openness to the spiritual gifts and talents of Hispanic Catholic young adults.

Develop mechanisms and initiatives within church structures to help Hispanic young adults to complete their formal education.

As long as there are young people in our faith communities, there is hope. Hispanic youth and young adults bring a world of hope to the Church in the United States. Their presence fills us with optimism. We must embrace this hope.

CHAPTER 5 ENDNOTES

1 Eileen Patten, "The Nation's Latino Population is Defined by Its Youth." Washington, D.C.: Pew Research Center, April 20, 2016.

2 Ken Johnson-Mondragón, "Hispanic Youth and Young Adult Ministry," in Hosffman Ospino, ed., *Hispanic Ministry in the 21st Century: Present and Future*. Miami: Convivium Press, 2010, 104.

3 Tony Castro, "Hispanics Now Majority in Texas Public Schools, Districts Assess If They Are Ready for Change," *Huffpost Latino Voices*, 2/12/2013.

4 Cf. Timothy Matovina, "Hispanic Ministry and U.S. Catholicism," in Hosffman Ospino, ed., *Hispanic Ministry in the 21st Century: Present and Future*. Miami: Convivium Press, 2010, 38-40.

5 The survey was conducted in 2015 by the organizers of the National Colloquium on Hispanic Youth and Young Adult Ministry hosted by Boston College the following year in partnership with the National Catholic Network de Pastoral Juvenil Hispana (La RED).

6 This response is part of the unpublished results of the survey. This particular response was written in Spanish. Editor's translation.

7 This response is part of the unpublished results of the survey.

8 This response is part of the unpublished results of the survey.

9 This response is part of the unpublished results of the survey.

10 Ken Johnson-Mondragón, "Hispanic Youth and Young Adult Ministry," 112.

11 Ken Johnson Mondragón and Carmen Cervantes, *The Dynamics of Culture, Faith, and Family in the Lives of Hispanic Teens, and their Implications for Youth Ministry*, Stockton, CA: Fe y Vida, 2008.

12 USCCB, *Sons and Daughters of Light*. Washington, D.C.: United States Catholic Conference, 1997.

13 Esperanza Inc. Available at http://www.esperanzainc.org.

CULTIVATING
YOUNG HISPANIC
CATHOLIC LEADERS

Susan Reynolds and Steffano Montano

The future of the Catholic Church in the U.S. depends significantly on the commitment of Hispanic youth to giving witness of their faith and to building vibrant ecclesial communities now and in the future. Hispanics make up more than half of all Catholics below the age of 18 and are poised to become the majority of U.S. Catholics in the next 30 years.[1] Yet, ironically, Hispanic youth receive less ministerial attention than many other groups due in no small part to the inability of most current pastoral ministers, parochial and diocesan, to understand and respond effectively to the complex realities of this population. To this we must add the limited number of Hispanic clergy, deacons, vowed religious, and lay pastoral leaders available to work with them and model joyful pastoral ministry in the church.[2] It is critical that this population be engaged and nurtured, not only for the future life of the Church in our country, but also for the present life of these youth. If the Church wishes to be a pastoral and loving presence working for justice, then it must take the hopes and needs of this group seriously.

Hispanic youth also represent a valuable resource in and of themselves: they straddle the line between multiple cultures and, as such, can become powerful voices for a theology *en conjunto*. As Ken Johnson-Mondragón notes, the experience of Hispanic youth "growing up between two cultures will have a great impact on the life of our Church as they mature into young adulthood and eventually take their place among our leaders—*or not*—depending on the quality of leadership training and faith formation they receive."[3]

This chapter examines and assesses the present state of Hispanic Catholic leadership in the U.S. Catholic Church. Taking seriously the hopes, needs, and challenges of Hispanic young people calling for greater pastoral responsiveness from and leadership within the Church, we will identify areas of needed attention in the long neglected task of cultivating young Hispanic Catholic leaders.

Assessing the Possibilities

Catholic parishes still represent the most immediate context in which Catholics exercise pastoral leadership within ecclesial structures. Let us briefly look at some of the most representative areas of pastoral leadership in Catholic parishes to identify current realities and possibilities.

Clergy

Although Hispanics constitute about 40% of the U.S. Catholic population, approximately 8% of all U.S. Catholic priests self-identify as Hispanic/Latino; 76% of these are foreign-born.[4] In 2018, 20% of men ordained to the priesthood identified as Hispanic/Latino, a number that has been increasing in recent years. More than half of these new priests were born outside the United States, with the largest numbers coming from Mexico and Colombia.[5]

Permanent Deacons

About 11% of permanent deacons—approximately 2,600—in the U.S. are Hispanic/Latino.[6] Hosffman Ospino observes, "Hispanic permanent deacons constitute one of the fastest-growing bodies of pastoral agents in positions of leadership in parishes with Hispanic Ministry."[7]

Lay Ecclesial Ministers (LEMs)

As the number of clergy and vowed religious in the U.S. steadily declines, Lay Ecclesial Ministers (LEMs) continue to assume more pastoral responsibilities and become an increasingly vital presence in church leadership. LEMs include those working professionally in positions such as music directors, directors of religious education, and youth ministers. It is estimated that about 9% of LEMs are Hispanic. These numbers are bound to increase significantly in coming years, especially since Hispanics "comprise slightly more than half (54%) of the total lay ecclesial ministry program participants." However, they are "disproportionately enrolled in certificate programs. Hispanics/Latinos make up 13 percent of students enrolled in degree programs and 70 percent of students enrolled in certificate programs."[8] Speaking of this overrepresentation in certificate programs, Ospino cautions: "we must acknowledge that this level of formation seldom prepares them and rarely gives them the required credentials to be hired into positions of pastoral leadership in parishes, dioceses, and other organizations."[9]

Unpaid/Volunteer Parish Ministers

It is important to note that the majority of pastoral leaders identified as LEMs are paid for their work. However, many Hispanics, young and old, who hold positions of leadership in parishes (both official and "de facto") are unpaid volunteers. The National Study of Catholic Parishes with Hispanic Ministry found that in 2014 roughly "one in five pastoral leaders serving Hispanic Catholics in major ministerial positions in parishes and dioceses are not compensated."[10] The same study revealed that among parish Directors of Hispanic Ministry—64% of whom are Hispanic—more than one in four are volunteers or unpaid ministers. Among pastoral leaders directly working with Hispanic young people in parishes with Hispanic ministry—92% of these leaders are Hispanic— the percentage of those unpaid is a whopping 70%.[11] Even among those who are paid, annual salaries tend to be extremely low.[12] Such data raise critical issues of economic justice, wage parity, and pastoral commitment among parishes serving Hispanic populations. The low level or complete lack of financial compensation associated with many positions of leadership in Hispanic ministry represents a significant barrier to the promotion of professional parish leadership among young Hispanics.

Obstacles to the Promotion of Young Hispanic Catholic Leaders

Hispanic young people face significant barriers to exercise leadership in the church. These include legacies of pastoral neglect and (often disguised) institutional racism; few opportunities for leadership training, ministry formation, and quality catechesis; low educational attainment; undocumented immigration status;[13] and inadequate commitment of resources and follow-through on the part of the institutional church.[14]

In addition to these obstacles, there is also the question of access to and involvement in parish-based ministries and services, which often serve as a launching pad for future leadership in the church. Data from the National Study of Youth and Religion (NSYR) revealed that Hispanic Catholic young people "practiced more personal and family-based religious devotions, while their white peers were much more likely to be involved in parish-based activities."[15] At the same time, the NSYR revealed strikingly low levels of parish participation among Hispanic Catholic teens, even when participation among their parents is high. In the study, the children of parents who themselves identified as religiously "committed" were "less than half as likely as their white counterparts to attend weekly Mass, about one-third as likely to participate in a church youth group, about one fourth as likely to attend a Catholic school, about one fifth as likely to be a youth group leader, and one sixth or less as likely to have attended a religious retreat or summer camp."[16]

Such trends are consequential for several reasons. Ministries, practices, and places such as Mass, youth groups, Catholic schools, retreats, and religious summer camps can be understood as sites of leadership promotion among young Catholics. A close look at the experiences of newly ordained priests in their youth, to offer a specific case, supports this observation. Among all who were ordained to the priesthood in the United States in 2018, including all races and ethnicities, 47% attended a Catholic elementary school and 39% attended a Catholic college. These Catholic men also reported high levels of involvement in parish ministries as altar servers (74%) and lectors (57%). About 35% reported having participated in a parish youth group, 35% had participated in Catholic campus ministry, and 38% served as catechists.[17]

While these data do not suggest a causal relationship between the decision to enter the priesthood and involvement in Catholic schools, parish life, and/or youth/young adult activities, it is clear that such experiences figure prominently into the life stories of many of these emerging ecclesial leaders. With this in mind, statistics that point to low levels of involvement in such ministries and institutions by Hispanics is sobering and raises critical questions about the likely extent to which Hispanic young people are marginalized and neglected at all levels when it comes to opportunities for leadership (lay, ordained, and consecrated) in the Church.

Why is participation in leadership-promoting activities among Hispanics so low? As Carmen Cervantes and Ken Johnson-Mondragón note: "in communities where Hispanics are a small minority or the bicultural/multicultural approach is not fostered, many Hispanic adolescents feel uncomfortable participating in a ministry that has an unfamiliar way of expressing the faith or that is structured around the religious and social needs of teens with whom they have little in common."[18] In such contexts, Hispanic youth experience isolation and marginalization when confronted with differences of language, culture, and class among both fellow peers and youth leaders in the church.

The National Study of Catholic Parishes with Hispanic Ministry found that "only four in ten parishes with Hispanic ministry have formal programs to minister specifically to Hispanic youth."[19] While the majority of parishes with Hispanic Ministry have a youth minister for the parish in general, "only 26% of [these] parishes report having a pastoral leader dedicated primarily to working with Hispanic youth."[20] About 92% of those in this role are Hispanic, suggesting a unique capacity to connect with the needs and experiences of Hispanic young people. However, 70% are unpaid volunteers and almost half (45%) are responsible for another parish ministry in addition to working with Hispanic youth.[21]

Overall, we can observe the perpetuation of a vicious cycle. Hispanic youth are accessing opportunities for leadership formation in the church at considerably low rates, especially compared to their white, Euro-American peers. This reality creates conditions for exclusion and marginalization. Lack of access to these basic opportunities to exercise leadership within their parish communities diminishes their chances to serve as leaders at higher levels in the church.

Young Hispanic Catholics Outline Their Expectations

The conclusions of the *Primer Encuentro Nacional de Pastoral Juvenil Hispana* (PENPJH), which took place in 2006, shed light on what Hispanic youth have identified as their needs and best hopes for ministry and leadership formation. Their stated ministerial needs include:

- Church programs that respond to the cultural needs of families and communities, as there are presently few such activities available.

- Trained pastoral leaders who "leave their desks and go where we are."

- Leaders who speak their own language to serve as spiritual guides and counselors.

- Funding for materials and space.

- Greater cultural diversity education for pastors.[22]

Hispanic youth feel that the ministerial options they are being offered at present do not meet them where they are. Current pastoral offerings ask them to enter spaces in which they are not comfortable participating and are not attentive to their particular cultural locations or experiences.

Hispanic youth also expect parish ministries to aid with their *desarrollo* (development or cultivation). The conclusions of the PENPJH speak to the desire of Hispanic young people for the church to assist with their formation as leaders in church and society. Among other things, Hispanic young people voiced a desire for assistance with the development of skills and values, educational counseling, and leadership formation.[23] Within their stated desire for leadership formation, Hispanic youth are seeking not only enhanced catechetical and evangelical knowledge and skill development but also formation "as leaders in the areas of psychology, sociology, and communication, particularly between *jóvenes* and their parents."[24] Ultimately, Hispanic youth are asking for greater equality and inclusion in the church and society and are seeking a church that can accompany them through their adolescence and prepare them for the challenges of leadership and adulthood.

In short, Hispanic youth want what research suggests they need most to succeed: a strong in-group identity that respects their biculturality, bridges them to the mainstream culture, connects them with efforts to overcome obstacles, and is focused on their success.[25] Further, markers for success among Hispanic youth have been shown to include the development of skills and values and the promotion of their Hispanic identities as an asset to be cultivated.[26] The question then becomes: are current approaches to Catholic ministry with Hispanic youth meeting these criteria? Are these approaches producing the kind of leadership opportunities that Hispanic youth are asking for?

Four Recommendations

Timothy Matovina observes that in the contemporary Hispanic context, "the most consistently articulated priority for enhancing Hispanic ministry—from the First Encuentro to the various U.S. bishops' statements—is the need for faith formation and for identifying and training leaders: laity, clergy, and religious."[27] Yet despite decades of recommendations, progress has been slow. Leadership formation remains a critically underdeveloped dimension of Hispanic ministry with and to *jóvenes*. Based on the current landscape of Hispanic leadership in the church, the obstacles that Hispanic young people face to receive formation and access positions of leadership in the church, and their stated needs and desires for leadership development, we propose the following recommendations.

Encourage the emergence of new Hispanic voices. Data and experience suggest the pressing need to cultivate parish leaders from within the Hispanic community who can advance ministries, programs, and other forms of outreach more responsive to the needs and experiences of Hispanic youth:

> Engaging leaders from different ethnic groups to serve their own—and others—in ministries is a pastoral strategy as old as the Catholic Church itself. When Greeks in the early Christian community at Jerusalem complained that their widows received unequal treatment in the distribution of foods as compared to their Hebrew counterparts, the twelve (Hebrew) apostles called seven Greeks to leadership as deacons charged with overseeing the daily allocations. According to the Acts of the Apostles, in the wake of this prudent decision, "the word of God continued to spread, and the number of disciples in Jerusalem increased greatly" (Acts 6:7).[28]

We must enthusiastically and confidently allow new and different voices and leadership styles to emerge; voices and styles that are critically attentive to the lived experiences and social locations of today's Hispanic youth and young adults. Hispanic young people are uniquely positioned to be *gente puente* to facilitate conversations and relationships among Hispanics and other Catholics in our parishes, to bridge divides and differences across generations and social and spiritual experiences.

Strengthen the connection between family and parish. Recognizing the home—and family—as a locus of spiritual practice for many Hispanic young people, pastoral programs ought to work to strengthen the connection between family and youth ministry/*Pastoral Juvenil Hispana.* Such initiatives should seek to work collaboratively with families and affirm and promote the personal and religious traditions that many Hispanic youth and young adults already practice. The symbiotic relationship between faith and culture that characterizes much of Hispanic life challenges in important ways existing models of parish leadership in the U.S. that treat parish life and home life as two separate, encapsulated realities. Breaking down the barrier between church life and home life should serve as a model for the entire U.S. Church.

Leverage intergenerational approaches. Those working with Hispanic youth and young adults are familiar with the intergenerational approach to ministry with youth fostered by *Pastoral Juvenil Hispana*, a vision that often collides with predominant models of youth and young adult ministry in the United States.[29] While navigating this dissonance presents a number of logistical challenges for ministry to Hispanic youth and young adults in shared U.S.-Hispanic parish contexts, creative approaches to leadership formation for young Hispanics should consider this intergenerational approach to ministry as an asset. Intergenerational groups have a unique opportunity to foster accompaniment and leadership formation by drawing organically on mentor relationships as well as intergenerational and familial social networks.

Invite Hispanic young people beyond youth and young adult ministry. Other groups in the parish, such as choirs, service groups, and apostolic movements, serve as sites of mentorship and have the capacity to promote engagement in the church and beyond. Inviting Hispanic young people to participate in parish life beyond youth ministry requires current pastoral leaders to view them not as the "church of tomorrow" but as the "church of today"—a view that is, in fact, more reflective of reality both theologically and sociologically!

As indicated by the conclusions of the *PENPJH,* it is not lack of desire but rather a lack of opportunities, resources, and culturally meaningful ministries that keep many Hispanic young people from leadership in the church. By taking seriously the experiences and articulated needs of Hispanic young people, the church not only responds to a pressing pastoral need; it also ensures its own future as a vital and relevant presence in the United States.

CHAPTER 6 ENDNOTES

1 Ken Johnson-Mondragón, "Hispanic Youth and Young Adult Ministry," in *Hispanic Ministry in the 21st Century: Present and Future,* edited by Hosffman Ospino. Miami, FL Convivium, 2010, 104.

2 Ibid, 110-111.

3 Ibid, 105.

4 V Encuentro Consultation Report. Available at https://vencuentro.org/consultation-report/.

5 Mary L. Gautier and Thu. T. Do, *The Class of 2018: Survey of Ordinands to the Priesthood: A Report to the Secretariat of Clergy, Consecrated Life and Vocations, United States Conference of Catholc Bishops.* Washington, D.C.: Center for Applied Research in the Apostolate, 2018, 12.

6 V Encuentro Consultation Report. Available at https://vencuentro.org/consultation-report/.

7 Hosffman Ospino, *Hispanic Ministry in Catholic Parishes: A Summary Report of Findings from the National Study of Catholic Parishes with Hispanic Ministry.* Huntington, IN: Our Sunday Visitor, 2015, 42.

8 *The CARA Report,* 23, 1 (Summer 2017), 11.

9 Ospino, *Hispanic Ministry in Catholic Parishes,* 31.

10 Ibid., 44.

11 Ibid., 23, 37.

12 Among paid parish Directors of Hispanic Ministry, for example, the average annual salary is only $24,078. See Ospino, *Hispanic Ministry in Catholic Parishes,* 23.

13 Because of strict Safe Environment regulations, many undocumented persons cannot obtain the background check necessary to pastorally accompany young people in the church.

14 These challenges are among the ten factors that Carmen M. Cervantes and Ken Johnson-Mondragón identify as needing to be addressed in the church in order to effectively pass on the faith to Latino/a Catholic teens in the U.S. See Cervantes and Johnson-Mondragón, "Passing the Faith to Latino/a Catholic Teens in the U.S.," in *Pathways of Hope and Faith among Hispanic Teens: Pastoral Reflections and Strategies Inspired by the National Study of Youth and Religion,* edited by Johnson-Mondragón. Stockton, CA: Instituto Fe y Vida, 2007, 325-345.

15 Ken Johnson-Mondragón, "Hispanic Youth and Young Adult Ministry," in Hosffman Ospino, ed., *Hispanic Ministry in the 21st Century: Present and Future.* Miami, FL: Convivium, 2010, 109. For more details see Johnson-Mondragón, ed., *Pathways of Hope and Faith Among Hispanic Teens, 97-100, 324.*

16 Johnson-Mondragón, ed., *Pathways of Hope and Faith Among Hispanic Teens,* 100.

17 Cf. Gautier and Do, *The Class of 2018,* 36-37.

18 Carmen M. Cervantes and Ken Johnson-Mondragón, *"Pastoral Juvenil Hispana,* Youth Ministry, and Young Adult Ministry." Stockton, CA: Instituto Fe y Vida, 2007, 5.

19 Ospino, *Hispanic Ministry in Catholic Parishes,* 37. Interestingly, the study compared its 2014 findings with data collected from representatives of Hispanic parish youth groups participating in the 2006 PENPJH and discovered that parishes that do offer ministries to Hispanic youth are increasingly doing so bilingually.

20 Ibid.

21 Ibid.

22 National Catholic Network de Pastoral Juvenil Hispana–La RED, *Primer Encuentro Nacional de Pastoral Juvenil Hispana: Conclusiones.* Washington, D.C.: USCCB, 2008, 48.

23 Ibid.

24 Ibid, 51.

25 Inna Altschul et al., "Racial-Ethnic Self-Schemas and Segmented Assimilation: Identity and the Academic Achievement of Hispanic Youth," *Social Psychology Quarterly,* 71, 3 (2008): 315-316, 318.

26 Melissa Alvarado and Richard J. Ricard, "Developmental Assets and Ethnic Identity as Predictors of Thriving in Hispanic Adolescents," *Hispanic Journal of Behavioral Sciences,* 35, 4 (2013): 518-519.

27 Timothy Matovina, *Latino Catholicism: Transformation in America's Largest Church.* Princeton, NJ: Princeton University Press, 2012, 135.

28 Matovina, *Latino Catholicism,* 134.

29 Cf. Cervantes and Mondragón, *"Pastoral Juvenil Hispana,* Youth Ministry, and Young Adult Ministry," 4.

7

A "COMMUNITY OF COMMUNITIES" APPROACH TO YOUTH MINISTRY[1]

Ken Johnson-Mondragón with Ed Lozano

In 2005, when the National Study of Youth and Religion published *Soul Searching*,[2] for the first time it became possible to measure the reach of Catholic youth ministry in a scientific way. Many pastors and youth ministers were disconcerted to find that only 24% of Catholic youth were participating in parish youth groups— far short of the 52% average among Protestant teens and 72% in Mormon communities.[3] It is undoubtedly true that the renewal of Catholic youth ministry in the last 40 years has produced a rich ecosystem of parish youth ministry leaders and catechists, formation programs, practical resources, Confirmation programs, support services, ecclesial movements, and specialized, dynamic speakers for diocesan, regional, and national events (see Diagram 1). Nevertheless, one must ask the question: regardless of how many components are integrated into our programming, can we really call our youth ministries "comprehensive" if they are leaving 76% of our Catholic adolescents unserved?

Diagram 1: Ecosystem of Catholic Youth Ministry

Called to Serve 4.2 Million High School-Age Catholic Teens,
of whom 2.2 million are Latino

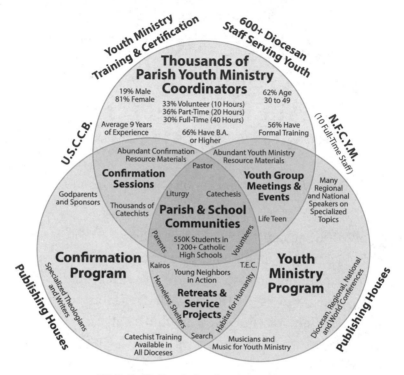

**75 Catholic Youth-Serving Organizations
with 200+ Staff Members**

In some ways, the low level of participation among Catholic youth should come as no surprise. There were 17,156 parishes in the United States in 2017,[4] called to serve a population of about 3.7 million high school-age teens who identify themselves as Catholic.[5] That means the *average* parish has about 215 Catholic adolescents living within its boundaries. In California, the parishes are even larger, with the average parish called to serve 1,000 youth and some very large parishes having as many as 3,000 Catholic adolescents—yet most youth ministers are delighted if they are reaching between 50 and 80 high school students each year. Simply put, few parish youth ministries are structured in a way that would make it feasible to involve even half of their parish's adolescent members.

The "Community of Communities" Approach

This is where a "community of communities" approach can expand the reach of the parish's youth ministry over time. Pope John Paul II said that when the parish is seen as a community of communities and movements, it becomes "possible to live communion more intensely... In such a human context, it will be easier to gather to hear the word of God, to reflect on the range of human problems in the light of this word, and gradually to make responsible decisions inspired by the all-embracing love of Christ."[6] Similarly, the inadequacy of trying to gather a large and diverse youth community into one youth group was highlighted at the *Primer Encuentro Nacional de Pastoral Juvenil Hispana* (First National Encuentro for Hispanic Youth and Young Adult Ministry, *PENPJH*):

> The leaders in *Pastoral Juvenil,* Hispanic ministry, and mainstream youth and young adult ministry are increasingly aware that the programs and activities of the mainstream culture do not attract the full participation of Hispanic adolescents and *jóvenes*, even though they may speak English. This occurs due to economic, cultural, educational, geographic, and linguistic differences between the young people, especially when the parish ministry is limited to a single youth group.[7]

In a community of communities approach, the paid or designated volunteer youth ministry leader (YML) in the parish chairs a core team that consists of adult coordinators and key youth leaders who oversee each of the youth ministries or small communities. This approach is very helpful in linguistically diverse youth communities, as it affords the opportunity for young people to gather in a peer group in which they share a common language and socio-cultural experience. In other words, it lowers the social barriers to entry into the parish youth ministry for young people who may feel different, isolated, or marginalized for any reason. At the same time, it provides multiple opportunities for teens to get involved in the parish throughout the week—which is great for families and young people with busy schedules.

In this model, the responsibilities of the YML and the core team are: to do pastoral planning for the whole youth community; to uphold the vision of youth ministry in all of the programs, ministries, and events; to provide leadership training and access to formation for coordinators and their teams of adult and adolescent leaders; and to collaborate on occasional events and activities for the whole parish youth community. The YML may also serve as the actual coordinator for one or more of the small communities or ministries—especially when the community of communities approach is getting started. Eventually the YML should hand off established ministries to volunteer coordinators in order to start new ministries that respond to local pastoral needs.

Diagram 2 illustrates this concept, with the core team in the middle and the various groups and communities extending out from the center—some more culturally diverse than others, depending on the language and pastoral needs addressed in each community. It is important to note that the various ministries and programs are not isolated from one another. Rather, they share a common vision, a common mission, and a common pastoral plan. In addition, they directly relate to and collaborate with one another on occasion, and they all provide a vehicle for young people to live as disciples of Jesus Christ, to grow in Christian maturity, and to insert themselves into the life, mission, and work of the Eucharistic community of communities, which is the parish.

Diagram 2: Youth Ministry in a Community of Communities

A Case Study: St. Matthew Catholic Church in Arlington, Texas

In 1996, Ed Lozano was a volunteer Confirmation catechist, teaching a group of 12 high school students at his mostly-Hispanic parish in Arlington, Texas—with no budget. About half way through the year, the young people in his group started to ask for more, indicating that they wanted a youth group to continue after Confirmation. By the next year, Ed had contacted the diocesan office of youth ministry in Fort Worth and received a basic certification in youth ministry. He immediately grasped the rich potential of a comprehensive model that included the eight components of Catholic youth ministry[8] and began to incorporate all eight into his work with the teens.

The next year Ed submitted a proposal to the pastor asking for a budget of $16,000 to implement a comprehensive model of youth ministry. On his way to the finance council meeting, the pastor called Ed over and asked him, "Do you know that you are asking for an 800% increase in the amount of money we spend for teens?" Ed replied, "Father, you've had $2,000 in the budget for the last eight years, and you've used none of it; I'm just asking for that money back"—and the request was approved. Once he came on staff in 1998, the first thing Ed did was to ask the parish office for a print-out of all the registered adolescents in the parish, ages 12 to 18; there were about 1,500 kids.

Ed recognized from the start that prayer and worship would be key to the success of his ministry. So in addition to the variety of musical and prayer experiences he was incorporating into regular sessions, he organized an Ash Wednesday celebration of the Word, conducted entirely by the teens as a ministry to their peers. He also initiated a Triduum retreat for young people that engaged them in an experience of the Paschal Mystery in a way that relates to contemporary life. Both events continue to this day and are immensely popular among the young people.

Similarly, leadership development has played a critical role in St. Matthew's accomplishments. In 2000, a group of teens from the parish attended the Center for Ministry Development's Youth Leader program[9] and began to exercise leadership among their peers in multiple ways. Parents and other adults in the community also stepped forward for training and to participate in the ministry. The community of communities model simply does not work if the parish expects the paid YML to do everything and be everything for the young people—it is only when the whole parish community takes responsibility for the ministry that it is possible to increase the scale of programming to its full potential.

The youth ministry at St. Matthew started with sacramental preparation, and a broad understanding of catechesis and faith formation continues to be at the heart of the work that is done there. Today, St. Matthew provides First Communion preparation to about 200 junior high students each year (grades 6 to 8) who did not receive the sacrament at an earlier age. They are formed into groups of about 15 students with two adult catechists assigned to each, and at the end of their weekly Saturday morning sessions, they all come together for a large group prayer and worship experience that builds on the catechetical theme of the week. An additional 50 junior high students and about 60 ninth-graders are also receiving faith formation each week, although they are not preparing for any sacrament per se.

Because St. Matthew provides continuous opportunities for faith formation at every grade, a significant part of the 150 high school-age students attending Confirmation classes (10th grade) come in with a basic or better knowledge of the faith and an honest desire to grow in relationship with Jesus Christ and his Church. This has radically changed the spirit and culture of the Confirmation sessions, with young people taking the lead and setting the tone for the evangelization of their peers—many of whose families do not come to church regularly. In support of the Confirmation classes, faith formation is provided to parents in a series of four parent sessions, and monthly potlucks provide an opportunity for families to build community and share pointers for parenting adolescents.

Around 2000, Ed began going alternately to the Mexican American Cultural Center (now the Mexican American Catholic College[10]) and Instituto Fe y Vida's National Catholic Leadership Program[11] every year. He knew that he needed to strengthen his pastoral vocabulary in Spanish and improve his outreach, especially to the immigrant youth, and these trainings provided a means to do that. Since 1998 Ed has been advising a grupo juvenil (peer ministry group of Spanish-speaking single young adults) called Juntos con Jesús. The group continues to this day with about 50 to 60 members, many of whom have also participated in Fe y Vida's training to enhance their leadership in this ministry to and with their peers, utilizing a variety of resources from Fe y Vida.

In 2002, the diocese invited St. Mary's Press to give a presentation on a new initiative called Youth Engaging Scripture.[12] Ed participated in the training and soon grasped that lectio divina in the form of weekly reflection on the Sunday scripture readings could enhance both faith formation and prayer and worship while building community among the young people. At about that time he noticed that there were a number of teens wandering the parish halls on Thursday nights while the grupo de oración (a prayer group for about 300 adults in Spanish) was taking place. So he opened the doors to a teen scripture study group, which has evolved into four bilingual classrooms of junior high students and a pair of high school groups (mostly 9th graders), with about 15 kids in each class.

In 2004, Ed was approached by a group of four mothers who had recently immigrated from Mexico, and whose grade school-aged children were failing in school. He began to tutor them and was delighted to see their grades improving and their interest in school increasing. Ed recognized the need for advocacy on behalf of families in the public school system—especially when the parents do not speak English. He also saw the need for ongoing tutoring, so he contacted a local United Methodist ministry called Hope Tutoring[13] and asked them if they would open a branch at St. Matthew. They did, and to this day tutoring has been incorporated into the pastoral care provided by the parish, and some of the parish youth participate as tutors for younger students as a form of service.

For many years, the parish *Quinceañera* program consisted of a few two-hour faith development sessions led by one of the deacons and his wife. Around 2005, Ed was doing some work on integrating an asset-building approach[14] into his youth ministry, and he saw an opportunity to enrich the preparation of the girls and their families with a holistic developmental strategy that would complement the faith formation elements. Today, the program consists of five four-hour sessions with the girls and their parents, in which the *quinceañeras* are given skills to be successful as teenagers and the parents receive tools to improve their relationship with their daughters and insights about how to guide them through adolescence. A team of young adult Latinas who have gone through the program now serve as presenters for this ministry.

Much more could be written about the integration of the eight components in ministry at St. Matthew, but this is enough to give a sense of the approach and the process that has allowed youth ministry to flourish there. In the 2012-2013 school year, Ed estimates that St. Matthew will serve a little more than 900 young people in the parish, with about 110 adult volunteers and more than 100 teen leaders contributing in some way to the 20+ programs and 50+ groups or classes in the various youth ministries. He describes this system as a comprehensive ministry that uses all eight components to reach out to the whole youth community of the parish, with many options for young people to connect and find their place. The parish now has a budget for a full-time youth minister, a part-time assistant, and a part-time secretary. Clearly, this ministry did not develop overnight, but it is a wonderful example of what is possible when a comprehensive vision of youth ministry is implemented with a community of communities approach. Diagram 3 provides an organizational chart of St. Matthew's youth ministry as it stands today, with the number of groups, classes, or events in parentheses when applicable.

Diagram 3: Youth Ministry Programming at St. Matthew Catholic Church

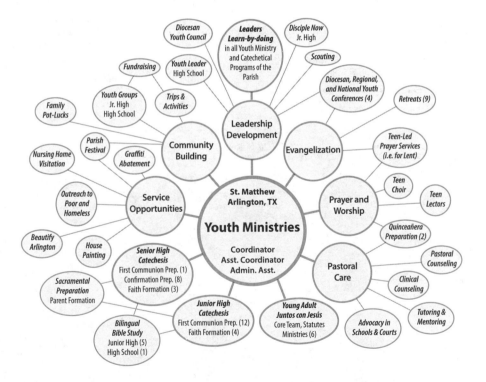

CHAPTER 7 ENDNOTES

1 This article was originally published in the Spring 2013 edition (Volume 7.1) of *Lifelong Faith: The Theory and Practice of Lifelong Faith Formation.* A few statistics and internet links have been updated, and the full article is reprinted here as a complement to the essays prepared for the 2016 Colloquium, with the permission of Instituto Fe y Vida which retains all rights to its content.

2 Christian Smith with Melinda Lundquist Denton, *Soul Searching: The Religious and Spiritual Lives of American Teenagers.* New York: Oxford University Press, 2005.

3 Ibid., 51.

4 Center for Applied Research in the Apostolate (CARA). Available at http://cara.georgetown.edu/frequently-requested-church-statistics/.

5 Ken Johnson-Mondragón, Coordinator of the V Encuentro Research Team, unpublished Catholic population estimates for 2017.

6 Pope John Paul II, Apostolic Exhortation *Ecclesia in America,* no. 41.

7 National Catholic Network de Pastoral Juvenil Hispana–La RED, *Conclusiones: Primer Encuentro Nacional de Pastoral Juvenil Hispana.* Washington, DC: USCCB Publishing, 2008, 33.

8 United States Conference of Catholic Bishops, *Renewing the Vision: A Framework for Catholic Youth Ministry.* Washington, DC: USCCB, 1997, 26-47.

9 See https://www.cmdnet.org/youthleader.

10 See http://www.maccsa.org.

11 See http://www.feyvida.org/programs/leadership-program.

12 Dennis Kurtz, *Youth Engaging Scripture: Diving into the Sunday Gospels.* Winona, MN: Saint Mary's Press, 2007.

13 See http://www.hopetutoring.com/.

14 Eugene Roehlkepartain, Peter Benson, Jennifer Griffin-Wiesner, and Kathryn Hong, *Building Assets in Congregations: A Practical Guide for Helping Youth Grow Up Healthy.* Minneapolis, MN: Search Institute Press, 1998.

SIGNPOSTS ON THE JOURNEY OF FAITH WITH *JÓVENES HISPANOS*

Rev. Alejandro López-Cardinale

"I have a dream." These words often evoke the memory of the Rev. Martin Luther King, Jr. and the African-American struggle for civil rights in the United States. Those same words are on the lips of theologians and pastoral leaders in this country today as we ask what we want, what kind of young women and men of which we dream, and what paradigms shape their identities. We dream about the innermost longings that are in their hearts and minds and inspire their lives.

This chapter starts with a dream I express via two questions: in what ways should the church be guiding U.S. Hispanic young people of the twenty-first century in journeys of faith that respond honestly to their deeps and concerns in order to give them a radical and foundational experience of Jesus Christ and the Church? How can the Church in the United States as a mother do a better job accompanying young Hispanics as protagonists in own their own life projects in such a way that they understand their faith formation as vocational discernment and a personal journey?

I propose to explore these questions in three moments: observe, discern, and correlate.[1]

The following reflections look closely at what I see as new theological spaces in which young Hispanics live and have become more prevalent since the Encuentro 2000 and the *Primer Encuentro Nacional de Pastoral Juvenil Hispana* (PENPJH) in 2006. These observations are primarily the result of my personal experience journeying with Hispanic young people in various contexts in the United States.

Observe

Much has taken place since 2000 and 2006. I propose to explore certain realities that I think are emerging theological[2] spaces. These realities affect and define the identity of our Hispanic Catholic *jóvenes* (single youth and young adults, generally 16 to 30 years of age). The order is not relevant. Neither is how they relate to one another. They are fragments, spaces, frontiers.

We witness the increased radicalization of the individual as the chief reference to define personal fulfillment. This is the time of selfies. Many reduce the individual person to a selfie, an avatar through which we relate with others.

This same person who is center and defines their own reality from their selfie is also an individual convinced of his/her own strength and grandiosity: *you are the only one who can do it.* Such radical self-affirmation, common in Western cultural patterns that prioritize human autonomy, becomes a key principle in educational practices in schools and universities in the United States. Self-affirmation is one of the major achievements and values that millennials affirm and defend. A large number of U.S.-born Hispanic *jóvenes* are millennials.

Young people today are "cool." This coolness finds expression in rather uncritical attitudes of tolerance and plurality. To be cool for many Hispanic young people is a physical, psychological, and emotional domain. Of course, there are young Hispanics who have not embraced such attitudes. However, the majority of Hispanic millennials were raised in a world of values shaped precisely by tolerance and plurality.

Our culture affirms the pleasurable and the erotic as ends, not as means for integral fulfillment. Our young people live in cultural spaces that promote the search for immediate pleasure through that which can be sensed, touched, and measured. This way of understanding the pleasurable and the erotic leads to ways of being that privilege the material. I am not talking about pop culture but about a culture dominated by immediate, effervescent, muddled, and ephemeral sensations.

Immediate gratification, small or fleeting, has become a most desired good. Waiting for it produces anxiety. Such immediatism has been exacerbated by the rise of cell phones, FaceTime, Twitter, Facebook, reality shows, Instagram, browsers, and the virtual world, all shaping a new "reality."

In this accelerated world, focused on the selfie and the immediate reward, relativism reigns. The sum of small truths seems to have more weight than universal and definitive truths, which are seeing as *passé composé*. Ours is a time of atomized truths. For some truth is apparent. For others, truth is simply truth. One of the most popular TV series among young Hispanics is *The Big Bang Theory*. Although Hispanics are practically absent from the series, most of our young people relate to what makes the series unique: there are not absolute values; everything is relative.

Globalization illustrates how "Catholic" we are. I use "Catholic" here as universal and global. Besides the influence of the global market, our lives are shaped by interconnections and the interdependence of information, data, knowledge, and emotions. In this interconnected world, exclusion is rampant. Many young people understand migratory patterns from the perspective of a global village: even though nations defend borders and demand visas, in a world that is virtual and global there are no borders and there is no need for visas: we are citizens of the world.

To these spaces we must add the existential contexts in which each young person forms her/his identity: family, migratory reality, access to higher education, reliable jobs, culture, friends, fears, and illusions. They all are constitutive to what it means to be young.

Discern

With these theological spaces in mind and aware of the pastoral realities that have emerged in the last two decades, we know more about the dominant cultural forces that shape the lives of young Hispanics as well as others in the United States. The ways in which these young women and men interpret reality often varies from those of people raised in different contexts—and different times. Such disparity causes tensions every now and then as pastoral leaders interact with them.

It would be a waste of time to expect that Hispanic *jóvenes* in the United States would stop being who they are and then become "like us." We cannot expect that they become like pastoral leaders raised in a different context, who learned to interpret reality using different frameworks or simply people who fall short from understanding what it means to be a young person in the second decade of the twenty-first century. At the same time, we cannot expect that adults or people who are not young U.S. Hispanics would live and act like them.

Therefore, I propose that we ground our discernment about how to accompany young Hispanics in the best of our biblical tradition. To do this, let us look at seven images that remind us of what it means to be in relationship with Jesus Christ as believers.

Finding oneself through the other (Luke 10,25-37).

The culture of the selfie is, well, self-centered. However, Jesus's proposal focuses on the other. The self is circumstantial, thus a subject to be transformed.

In the parable of the Good Samaritan (Luke 10,25-37), we find a fresh and lively example of the emphasis that Jesus proposes: the individual is not the center around which everything gravitates. The individual person exists with others and is part of other circumstances that have a similar level of influence. In the case of the parable, the one found is not the person who lies wounded but the Samaritan. In that encounter, the Samaritan is the one transformed.

This new emphasis that Jesus proposes can "refocus" the formative journeys that lead to a spatial change in our selfies, recasting our desire to be unique and particular from the perspective of "otherness." This refocusing can help to balance the tension that always exists between the human impulses to live radically alone and to live radically with others. As an antidote to the culture of the selfie, Jesus proposes that we find our most intimate self while being in "communion with the other."

Fall in love with Jesus Christ: "I live, no longer I, but Christ lives in me" (Galatians 2,20).

Being in love with Jesus Christ is a gift, a grace. The young Hispanic person imbued in a culture that overemphasizes self-esteem is fascinated with his/her own self. Yet, this young person knows that such overemphasized self-esteem is not fulfilling.

The journey from Saul into Paul serves as a model of the faith journey for Hispanic and multicultural young people who live in a society that overemphasizes self-esteem. This "Pauline itinerary" shows the path that a young Saul follows to become, in a process of transformation, an adult Paul. The ultimate goal of any formation initiative through itineraries of faith must procure that the person who embraces it can proclaim with Paul, "I live, no longer I, but Christ lives in me" (Galatians 2,20).

Consolidate inclusion through the experience of the Spirit: each of us hear them in our own language (Acts 2,8).

For journeys of faith to lead to life projects grounded in discernment, they must allow the experience and presence of the Holy Spirit. The Spirit makes possible that we fall in love with Jesus Christ. The Spirit empowers the believer to confront attitudes of tolerance and plurality from a truly humanizing perspective, thus preventing ideology to be the starting point.

The narrative of Pentecost gives meaning to the cultural, social, and ideological reality of the Hispanic person in the United States. The Holy Spirit makes possible that the Christian community falls in love with Jesus Christ. The Spirit builds and rebuilds the community.

Integrate human sexuality in a holistic and outward way.
"If you knew the gift of God" (John 4,10a).

When I speak of the integration of human sexuality in a holistic way, I call for an understanding of sexuality as part of a larger whole: the total person. Our sexuality is a gift through which we make ourselves present to one another in history.

When developing journeys of faith for Hispanic young people, contemplating Jesus's gesture of sitting by the well in his encounter with the Samaritan woman is worthwhile. We can interpret this gesture as an invitation to return to the original plan for sexuality, integrating all the elements that are at the core of our human experience.

Every proposal to accompany young people must foster the desire and the movement to return to the well like Jesus did. We need signposts to accompany young people guided by methodologies grounded in a holistic anthropology.

Integrate the Reign's kairos and kronos: the seed of God's Reign grows on its own in its own time (Mark 4,26-29).

It is a fact that we live in an era in which people overvalue things that are immediate, ephemeral and superficial. This is common in many urban situations that shape the lives of most people in the United States, including Hispanic *jóvenes*.

Most Hispanic *jóvenes* live in large urban contexts. For many of them, especially those who live in the existential peripheries of our society, time is not perceived as a *kairos* but as a difficult *kronos*. They must struggle with the challenges of the everyday in a survival mode. Our young people live *en la lucha* (in the struggle). For many young Hispanics in the United States, the biggest struggle is to remain visible and present as they drift toward the existential peripheries of society—and of the Church.

But young people are not the only ones who need to discern the idea of time and history. Pastoral leaders who journey with them and diocesan directors and coordinators of *Pastoral Juvenil Hispana* must do likewise. Among them, the perspective of *kronos* predominates when they become pressed for "measurable results" in short periods of time. Yet, ministry with young people is unpredictable. Young people may be with us today but not tomorrow. The demand for immediate results to measure pastoral success results in more ministerial maintenance. We must be countercultural.

The image of the seed of God's Reign growing on its own, as found in Mark, reminds us of the many battles fought by the early Christian communities as well as the battles of Hispanic jóvenes in the United States. Mark refocuses the meaning of the struggle by correlating *kronos* and *kairos*: it does not matter when, how, and in what circumstances. The seed grows on its own, it has its proper life and strength, it yields fruit in its own time: a time that for Mark coincides with the announcement of universal salvation (Mark 16,14-20).

Accept Jesus who is the Way, and the Truth, and the Life in the everyday (John 14,1-7; 21,15-19).

One common characteristic among Hispanic young people, and most likely among most young people in Western societies, is the suspicion about absolute truths as well as overarching projects that appear to be completely finished. Relativistic perspectives presented as postmodern attitudes that define their value system and their ways of interpreting reality often define their ethos.

The challenge for those who accompany these young women and men is to introduce Jesus not as an idea or a theological concept but as a real person—truly human and truly divine—who loves us and awaits that his love, which is a gift, be accepted, lived, assumed, and corresponded. Any itinerary of faith must lead in that direction and foster an attitude of gratefulness, of knowing oneself loved. Then one can accept Jesus as the Way, the Truth, and the Life.

Go into the whole world to preach the gospel (Mark 16,14-20).

Much of the contemporary Catholic discourse affirms the call to being disciples and missionaries. Mission is about following the Lord. If globalization creates existential peripheries by pushing people and communities outwards, mission, on the contrary, brings everyone together to a center. What seems attractive to many Hispanic *jóvenes* who decide "to stay" in the ecclesial community and participate in it is how the communal experience of being disciples leads them to be missionaries.

Every itinerary of formation and vocational discernment must have a missionary element. Mission will be the "thermometer" to measure the relationship between the disciple and the one who call him/her, the experience of communion between the Hispanic young person and Jesus. I have confirmed this in my experience with *grupos juveniles*, apostolic movements, and other efforts reaching out to young people: if there is a clear sense of mission, then young people get involved. The mission enables disciples to make a difference in society transforming structures.

Correlate

At the start of this chapter I proposed two questions: in what ways should the church be guiding U.S. Hispanic young people of the twenty-first century in journeys of faith that respond honestly to their deep questions and concerns in order to give them a radical and foundational experience of Jesus Christ and the church? How can the church in the United States as a mother do a better job accompanying young Hispanics as protagonists in their own life projects in such a way that they understand their faith formation as vocational discernment and a personal journey?

The method of reflection used above has allowed us to look more closely at the complex realities that define the experience of Hispanic *jóvenes* in the United States, and to discern such reality from the perspective of Jesus and the message of God's Reign.

Let me conclude with an exercise of correlation bringing together two pastoral fields that are intimately associated: *Pastoral Juvenil Hispana* and vocation ministry. This correlation rests upon a dialogue between the five elements we contemplated in the journeys of faith and the traditional areas of ministerial formation that Catholics use to prepare pastoral agents, lay and ordained: human, spiritual, communal, pastoral, and academic formation.

- In terms of human formation, we need signposts that point out the unique needs and sensibilities of our Hispanic *jóvenes*.

- In terms of spiritual formation, we need signposts that leat to a profound experience of Jesus Christ and God's Reign.

- In terms of communal formation, we need signposts that guide them to a profound sense of being Church beyond the particularities of being U.S. Hispanics.

■ In terms of pastoral formation, we need signposts that direct them to a true process of discernment and a life project in which each young person is a protagonist of his/her own journey.

■ In terms of academic formation, we need signposts that show young people how to strengthen their life projects "vocationally," discerning all possibilities available in their own lives and on their Christian journey.

CHAPTER 8 ENDNOTES

1 These three moments echo the pastoral theological method frequently used among Hispanic Catholics in the United States: see, judge, act.

2 As a space or theological place, *locus theologicus,* I understand and propose those places in the everyday where the human person is "re-created", "re-invented" out of his/her more authentic humanity. From those spaces, therefore, the Spirit of God becomes present to us to illuminate our discernment as we contemplate the presence of the sacred, of what is good, of the divine in it.

CONTRIBUTORS

Steven Fisher is a student in the Master of Divinity program at Harvard Divinity School, Boston, MA.

Brett Hoover, PhD is Associate Professor of Theological Studies, Department of Theological Studies, Loyola Marymount University, Los Angeles, CA.

Ken Johnson-Mondragón, D.Min, Cand., is Coordinator of Research for the Consultation of the Fifth National Encuentro of Hispanic/Latino Ministry.

Rev. Alejandro López-Cardinale is the President of La RED, National Catholic Network de Pastoral Juvenil Hispana.

Ed Lozano is the Coordinator of Youth Ministry at St. Matthew Church in Arlington, TX.

Antonio Medina-Rivera, PhD is Professor of Spanish and the Chairperson of the Department of World Languages, Literatures & Cultures at Cleveland State University. He is actively involved in ministerial initiatives with Hispanic Catholic youth.

Steffano Montano is a doctoral candidate in the PhD program in Theology and Education at Boston College, School of Theology and Ministry, Boston, MA.

Vincent A. Olea, D.Min., has served young people in Catholic ministry for over twenty years. He lives in California and is the Director of the Center for Creative Engagement.

Hosffman Ospino, PhD is Associate Professor of Hispanic Ministry and Religious Education, and Director of Graduate Programs in Hispanic Ministry at Boston College's School of Theology and Ministry, Boston, MA.

Susan Reynolds, PhD is Assistant Professor of Catholic Studies at Emory University, Candler School of Theology, Atlanta, GA.

Abigail Salazar holds a Master's degree in Education and serves as Vice Principal of St. Mary Magdalen Catholic School in San Antonio, TX.

AGRADECIMIENTOS

U n agradecimiento sincero a las personas y organizaciones que hicieron posible esta colección y el Coloquio nacional sobre ministerio con jóvenes hispanos que tuvo lugar en el año 2016.

Gracias en particular a Boston College y La RED Nacional Católica de Pastoral Juvenil Hispana por unir fuerzas y organizar quizás la conversación más importante sobre ministerio con jóvenes hispanos católicos desde el *Primer Encuentro Nacional de Pastoral Juvenil Hispana* en el año 2006. El acompañamiento de organizaciones como el Instituto Pastoral del Sureste, el Instituto Fe y Vida, Inc. y la Federación Nacional para la Pastoral Juvenil Católica (NFCYM, por sus siglas en inglés) fue realmente inspirador. El equipo coordinador del V Encuentro apoyó la idea de este coloquio de un principio.

Muchos líderes visionarios invirtieron un sinnúmero de horas para hacer que el coloquio fuera una gran experiencia. Un agradecimiento especial al equipo coordinador: Rev. Rafael Capó, Rev. Alejandro López-Cardinale, Cynthia Psencik, Walter Mena, Hosffman Ospino y el obispo Alberto Rojas. Gracias también a los muchos líderes pastorales y jóvenes que, aunque no son nombrados aquí, ayudaron con muchos de los detalles prácticos.

La edición de estos ensayos expresa el amor y compromiso de los autores, y esperamos que sean un buen instrumento al servicio de los millones de jóvenes hispanos que llevamos en nuestras mentes y corazones. Muchas gracias a los autores por su investigación y sabiduría. Ken Johnson-Mondragón compartió sugerencias editoriales invaluables. Sin duda alguna, Ken es la persona en el país que más conoce sobre asuntos relacionados con los jóvenes católicos hispanos. Ken es un verdadero don para la Iglesia en los Estados Unidos en este momento histórico.

Por último, un agradecimiento especial a las varias entidades que apoyaron económicamente el coloquio y la producción de esta edición: la oficina del presidente de Boston College, Center for the Church in the 21st Century en Boston College, la Escuela de Teología y Ministerio de Boston College, el equipo coordinador de V Encuentro y The Our Sunday Visitor Institute. Gracias también a las oficinas diocesanas, parroquias y organizaciones que cubrieron los gastos de algunos participantes en el coloquio. Con gran generosidad Our Sunday Visitor aceptó la idea de publicar esta colección. A todos ellos y a quienes han pedido no ser nombrados, ¡muchas gracias! Su generosidad vive en lo más profundo de nuestros corazones.

INTRODUCCIÓN

Hace poco escuché a alguien comentando sobre la conversación de dos líderes pastorales de alto rango en la jerarquía católica sirviendo en el Suroeste de los Estados Unidos. Hablaban sobre el futuro de sus diócesis. Uno de ellos expresó con preocupación que el número de católicos en la diócesis donde servía era cada vez menor y notaba también el bajo nivel de participación de los jóvenes católicos en la vida parroquial. Su compañero de conversación le respondió (en palabras similares): "pensé que las cosas estaban mucho mejor en tu diócesis pues el número de católicos hispanos prácticamente se ha duplicado o quizás triplicado desde el año 2000". Ante este comentario, la respuesta fue, "bueno, si cuentas a los hispanos, entonces es una historia diferente".

Esta anécdota ilustra bien uno de los mayores desafíos que tenemos los católicos en los Estados Unidos: aceptar el hecho de que somos una Iglesia con muchas familias culturales y que la mayoría de los jóvenes católicos en el país son hispanos. Los católicos hispanos no somos "una historia diferente". Todos los católicos en los Estados Unidos—asiáticos, blancos, hispanos, indígenas, negros— somos parte de la misma historia: la historia de mujeres y hombres bautizados que vivimos nuestra relación con Jesucristo dentro de la tradición católica romana. Hasta que no entendamos esta verdad y sus implicaciones, no vamos a ser capaces de asumir nuestra realidad presente y mucho menos apreciar este libro.

Nuestros jóvenes católicos: Pastoral Juvenil Hispana en los Estados Unidos es el fruto de muchas conversaciones a distintos niveles en el mundo católico estadounidense. La versión original de los ensayos en esta colección se presentó en forma de documentos de estudio para inspirar los diálogos durante el Coloquio nacional sobre ministerio con jóvenes hispanos, el cual tuvo lugar en Boston College del 19 al 21 de agosto del 2016. El coloquio fue el resultado de un esfuerzo en conjunto entre La RED Nacional Católica de Pastoral Juvenil Hispana y Boston College. La reunión fue un paso clave en el conjunto de conversaciones que apoyan el proceso de cuatro años del Quinto Encuentro Nacional de Pastoral Hispana/Latina (V Encuentro). Más información sobre este proceso se encuentra en *www.vencuentro.org*. Los ensayos fueron revisados a la luz de las conversaciones enriquecedoras durante el coloquio y editados para ser publicados. Un ensayo más, escrito por Ken Johnson-Mondragón y Ed Lozano, se añadió a la colección. Aunque este ensayo no se usó durante el coloquio, su análisis añade bastante a esta conversación.

Por más de dos décadas, La RED ha liderado una de las conversaciones más importantes en nuestra Iglesia: cómo servir mejor a los jóvenes hispanos, los cuales constituyen más del 50% de todos los católicos menores de 30 años en los Estados Unidos. Esta conversación ha sido apoyada por organizaciones tales como la Federación Nacional para la Pastoral Juvenil Católica (NFCYM, por sus siglas en inglés) y entidades como el Instituto Pastoral del Sureste (SEPI, por sus siglas en inglés) y el Instituto Fe y Vida, Inc., entre otros. Más recientemente universidades y fundaciones han jugado un papel significativo realizando investigaciones y contribuyendo recursos para avanzar la conversación sobre ministerio con jóvenes católicos hispanos.

Es mucho lo que se ha logrado en estas décadas de diálogo y discernimiento, afirmando los esfuerzos de organizaciones particulares y los procesos de otros Encuentros desde la década de 1970. Aparte de resaltar la urgencia de acompañar a los jóvenes católicos hispanos tanto pastoral como espiritualmente para el bien de esta población y para el bien de la Iglesia en los Estados Unidos, estas conversaciones también han hecho contribuciones muy importantes.

Hoy en día contamos con un lenguaje mucho más sólido para definir los esfuerzos que la Iglesia hace para servir a los jóvenes católicos hispanos. El uso de la categoría *Pastoral Juvenil Hispana* para referirse a los esfuerzos de atención pastoral hacia los jóvenes hispanos, resaltando la particularidad de la cultura de esta población al igual que su identidad religiosa y social, ha sido de gran ayuda. De hecho, ha sido profético. El término ha sido clave para afirmar el valor y las limitaciones de esfuerzos que predominan en el mundo de habla inglesa tales como *youth ministry* (primordialmente pastoral con adolecentes), *young adult ministry* (pastoral juvenil con personas entre los 18 y 39 años), e incluso pastoral universitaria, la cual tiende a beneficiar primordialmente jóvenes católicos euroamericanos de raza blanca. Sin embargo, una de las limitaciones del uso de la categoría *Pastoral Juvenil Hispana,* el cual se usa en español aún en contextos de habla inglesa, es que la mayoría de líderes pastorales que trabajan con jóvenes católicos, incluyendo a muchos líderes hispanos, no entienden de lleno sus presupuestos pastorales, teológicos, culturales e incluso psicológicos. La gran mayoría de diócesis y parroquias, con algunas pocas excepciones, no han incorporado la categoría al momento de contratar agentes pastorales trabajando en pastoral juvenil. Una de las consecuencias de esta situación es que el concepto de *Pastoral Juvenil Hispana* se ha reducido, sin intención, a ser "una historia diferente". Pero las categorías lingüísticas evolucionan y seguramente el siguiente paso en esta conversación será la incorporación de todo lo que hemos aprendido sobre *Pastoral Juvenil Hispana* a las categorías predominantes de *youth ministry, young adult ministry* y pastoral universitaria. Al observar el contexto y las realidades que definen la experiencia de los jóvenes católicos en los Estados Unidos, sería sumamente irresponsable hacer pastoral juvenil como si los jóvenes hispanos no existieran o fueran la preocupación de alguien más.

Las distintas conversaciones sobre el acompañamiento pastoral de jóvenes hispanos se complican con frecuencia cuando comenzamos a usar estadísticas que no siempre coinciden. Ciertamente estoy convencido de que las estadísticas son nuestras amigas, pero también reconozco que si nos descuidamos estas se pueden convertir en demonios luminosos (¡hablando metafóricamente!) que nos distraen con su brillo. Los lectores de este libro encontrarán un gran número de estadísticas en las siguientes páginas, las cuales nos ayudarán a entender mejor las realidades que afectan la vida de los jóvenes católicos hispanos. Los autores han usado información que viene de varias fuentes, organizaciones y proyectos investigativos. Aunque estas estadísticas son importantes, sugiero a los lectores no perder de vista que lo más importante es el análisis y las recomendaciones pastorales en cada uno de los capítulos.

Permítanme resaltar las siguientes siete estadísticas, las cuales nos dan una mejor idea de quiénes son los jóvenes hispanos en los Estados Unidos. Creo que estas estadísticas nos ayudan a tener un punto de partida en común. Los primeros tres sets de información fueron publicados en el año 2018 como resultado del proceso de consulta del V Encuentro:

1. En el año 2016, aproximadamente 21 millones de adultos en los Estados Unidos se identificaban como católicos. Aparte de ellos, unos 9 millones de niños hispanos eran contados como católicos.

2. En el año 2016, cerca del 61% de los inmigrantes hispanos era católicos, aunque un 50% de la segunda generación y un 43% de la tercera generación, y otras generaciones nacidas en el país, se identificaban como tal. Se estima que entre generación y generación de jóvenes hispanos hay un declive de aproximadamente 6% en cuanto a identificación católica.

3. Cerca del 40% de todos los católicos en los Estados Unidos son hispanos; un 50% de católicos entre los 14 y 29 años son hispanos, un 55% de los católicos menores de 14 años son hispanos.

4. El 85% de los hispanos entre los 14 y 17 años nacieron en los Estados Unidos.

5. Unas dos terceras partes (68%) de los hispanos entre los 18 y 30 años nacieron en los Estados Unidos.

6. Aproximadamente el 4% de los niños católicos hispanos están matriculados en escuelas católicas.

7. Cerca de tres quintos (59%) de los niños hispanos entre los 0 y 17 años vive en familias de bajos ingresos y aproximadamente tres de cada diez viven por debajo del nivel de pobreza. Más de una tercera parte de los niños hispanos viven en barrios con altos niveles de pobreza.

Esta información nos da una buena idea sobre las personas cuyas vidas son el eje de este libro, *Nuestros jóvenes católicos*. Los ocho capítulos en la colección son recursos importantes para líderes pastorales, académicos, educadores, personas que abogan por los jóvenes y cualquier otra persona dedicada a trabajar con jóvenes católicos en los Estados Unidos. Todos los capítulos están disponibles tanto en español como en inglés en este mismo volumen, lo cual hace más fácil entrar en conversación, especialmente en aquellas comunidades en donde estos dos idiomas se hablan con frecuencia. ¡Al mirarlos en conjunto, estos capítulos nos recuerdan una y otra vez que los jóvenes hispanos son no solo el futuro del catolicismo en los Estados Unidos, sino su presente real y alegre! Estos jóvenes son protagonistas clave en la gran historia católica que se escribe actualmente en nuestra nación.

Hosffman Ospino, PhD
1 de mayo del 2018
Fiesta de San José Obrero

Estrategias innovadoras para acompañar a los jóvenes hispanos

Abby Salazar y Steven Fisher

¿Qué significa ser joven católico hispano? Para nosotros la pregunta es personal. Ambos somos jóvenes hispanos nacidos en los Estados Unidos. Hace varios años conocimos a muchos otros jóvenes como nosotros cuando trabajamos en la pastoral universitaria de la Universidad de Notre Dame en South Bend, Indiana. Permítanos presentarles a algunos de ellos.

Nicole Gómez es la hija de una madre soltera en un hogar con muchas dificultades. Ella regresó a la universidad después de dejar sus estudios durante su primer año debido a su lucha constante con una condición de depresión. Nicole es creativa y muy inteligente. Llamaba la atención porque usaba varios piercings, ropa negra, el cabello pintado notablemente y portaba camisetas con mensajes políticos tales como

"*Relax gringo, I'm legal*" (No te preocupes gringo, soy legal). Nicole sabía discernir fácilmente las diferencias de clase entre sus compañeros de raza blanca, disfrutaba ayudar a otros estudiantes en los retiros de la universidad y con frecuencia servía como mentora para estudiantes que se sentían que no pertenecían al contexto universitario en el que se encontraban.

Ethan Rodríguez creció en un pueblo suburbano de clase alta con una mayoría poblacional blanca. Estudió biología y química. Participó activamente en la banda de guerra de la universidad. Ethan cuestionaba su orientación sexual y se resentía frecuentemente cuando otras personas asumían que era mejicano pues su herencia es boliviana. Él reconocía que ser hispano en los Estados Unidos es una experiencia única con bastantes desafíos y quería que otros jóvenes hispanos afirmaran la particularidad de sus culturas e historias. Ethan se identificaba como una persona religiosa, aunque, en sus propias palabras, "no tan extremamente religioso como otras personas" y seguía "casi todas las enseñanzas de la Iglesia, aunque con algunas excepciones en el caso de ciertos temas polémicos".

María Torres creció en Michigan y servía como líder estudiantil para la liturgia en la Misa en español de nuestra comunidad. Ella es la segunda hija en una familia de cuatro hermanos. María ayudaba a sus padres traduciéndoles del inglés al español, servía como intérprete y se encargaba de varias responsabilidades familiares, incluyendo diligenciar los formularios de los impuestos. Para María, su modelo de fe fue una maestra de secundaria que le enseñó a "no avergonzarse de lo que creía. Ella nunca obligó a nadie a aceptar sus convicciones religiosas. Simplemente daba opciones". Después de una gran crisis personal, María comenzó a cuestionar seriamente su identidad. Valiéndose de la oración y confiando en Dios, María comenzó a reevaluar quién era y a aceptar todos los aspectos de su vida a medida que discernía su identidad.[1]

Las historias personales de Nicole, Ethan y María son tan solo una muestra de los millones de historias de jóvenes hispanos. Aunque cada historia es única, estas historias son parte de una realidad más grande. Al centro de estas historias se encuentran interrogantes sobre identidad y el caminar espiritual del sector más grande de católicos jóvenes en los Estados Unidos. ¿De qué manera la Iglesia en los Estados Unidos por medio de sus estructuras ministeriales acompaña adecuadamente a los jóvenes hispanos? La meta última de la pastoral con esta población tiene que ser la creación de comunidades de fe en donde los jóvenes católicos hispanos vivan su fe católica y su identidad hispana, fortaleciendo su relación con Cristo y afirmando su pertenencia a la Iglesia. Lo que académicos y pastoralistas han identificado como prioridades para el ministerio hispano deben hacerse vida en el acompañamiento de los jóvenes católicos hispanos.[2]

Adultos emergentes hispanos

He aquí algunas características generales que definen la vida de los jóvenes hispanos en los Estados Unidos, con atención especial en aquellos a quienes los sociólogos identifican como "adultos emergentes" (más o menos jóvenes entre los 18 y los 29 años).

La mayoría de los hispanos menores de 29 años nacieron en los Estados Unidos y hablan primordialmente inglés. La mayoría tienen raíces mexicanas, aunque existe una gran diversidad de tradiciones culturales que no podemos ignorar.[3] Por lo general los jóvenes hispanos tienen una visión positiva de sí mismos, tienen grandes expectativas con relación al futuro y valoran bastante la educación. Más jóvenes hispanos que nacieron en los Estados Unidos han completado niveles de educación superior y están en mejor posición socioeconómica al compararlos con los jóvenes hispanos inmigrantes. Sin embargo, los jóvenes hispanos en general tienen niveles más bajos de educación y es más probable que tengan hijos durante su adolescencia al compararlos con jóvenes de otros grupos raciales y étnicos. Los jóvenes hispanos tienen mayor probabilidad de vivir en la pobreza y en situaciones de alto riesgo en comparación con jóvenes de las razas blanca y asiática.[4]

Es tentador buscar una fórmula universal para acompañar a los jóvenes hispanos. Sin embargo, académicos e investigadores nos recuerdan que las necesidades de nuestros jóvenes hispanos son tan variadas que un solo modelo de pastoral nunca respondería a las necesidades de esta población.[5]

Tiempo de despertar

Si la tarea pastoral consiste en acompañar a otras personas en su caminar espiritual y en sus vidas, entonces el ministerio con jóvenes hispanos exige que estemos atentos a las realidades más urgentes que definen las vidas de esta población.

El número de jóvenes hispanos involucrados activamente en las estructuras ministeriales católicas sigue siendo muy pequeño comparado con el tamaño de la población católica hispana en los Estados Unidos. En el año 2003, "solo el 6% de los adolescentes católicos hispanos participaban en un grupo juvenil por más de dos años, y solo el 3% servían como líderes de grupos con jóvenes de su misma edad— comparado con el 14% y el 7% respectivamente en el caso de los adolescentes católicos de raza blanca".[6] Aunque esta información se publicó hace quince años, según lo que escuchamos en conversaciones con líderes pastorales, las cosas no han cambiado mucho. Se necesita más investigación y datos más recientes sobre esta realidad.

La Iglesia en los Estados Unidos está perdiendo un gran número de jóvenes católicos hispanos, la mayoría nacidos en este país. Estos jóvenes se están yendo a otras tradiciones religiosas o haciéndose parte de los que los sociólogos llaman personas sin afiliación religiosa ("nones" en inglés, la cual es una abreviación de la frase *non-religiously affiliated*). El Centro de Investigación Pew (*Pew Research Center*) observa que aproximadamente uno de cada cuatro hispanos fue católico en algún momento y ya no lo es. El porcentaje de hispanos en los Estados Unidos que se identifica como católico ha disminuido en las últimas décadas, aunque la proporción de hispanos dentro de la población católica estadounidense sigue incrementando. Ambas dinámicas son posibles gracias al tamaño creciente de la población hispana. Los mismos investigadores observan que si dichas dinámicas continúan, pronto "la mayoría de católicos será hispana, aunque la mayoría de los hispanos seguramente no serán católicos".[7]

Estas dos dinámicas—poca participación en la vida institucional de la Iglesia y defección—exigen estrategias pastorales creativas. Basados en nuestra experiencia como agentes pastorales hispanos jóvenes que acompañan a otros jóvenes hispanos, no tenemos fórmulas mágicas. Sin embargo, ofrecemos algunos puntos de partida para la acción pastoral.

Primero, tenemos que aprender a relacionarnos con los jóvenes hispanos que no hablan español, aquellos que corren el riesgo de no completar su educación básica, aquellos que tienen problemas de autoestima y de salud mental, y aquellos que sienten que no tienen certeza sobre su identidad cultural y religiosa. Estos y otros asuntos complejos son parte de las vidas de millones de jóvenes católicos hispanos que actualmente perciben que las instituciones eclesiales no responden efectivamente a sus interrogantes. De hecho, muchos perciben que los esfuerzos pastorales y los materiales catequéticos que se usan en nuestras comunidades con frecuencia limitan o simplemente no conllevan a conversaciones críticas sobre temas que afectan sus vidas directamente tales como el pluralismo religioso, la sexualidad, la realidad de la mujer y la salud. Los jóvenes hispanos encuentran difícil incorporar perspectivas limitadas de lo que se entiende por identidad católica, las cuales fluctúan entre tradicionalismos y progresismos extremos predominantes en ciertos círculos de adultos y en comunidades de fe.

Segundo, tal como es el caso de muchos otros jóvenes, los jóvenes católicos hispanos dependen de otras personas que den ejemplo para aprender y crecer en la fe. Este es el caso especialmente de los adolescentes. Aunque los padres de familia con frecuencia juegan un papel importante dando ejemplo, muchos jóvenes hispanos no se ven practicando la fe como sus padres, especialmente como los padres de familia inmigrantes.[8] Los adolescentes hispanos usualmente buscan a jóvenes adultos católicos que quieran compartir sus valores y compromisos con ellos. Esto abre la posibilidad de ampliar el proceso de transmisión de la fe más allá de las relaciones familiares. Es importante que las comunidades de fe cultiven espacios para que los adolescentes y los jóvenes adultos católicos hispanos compartan la fe unos con otros.

Tercero, sabemos que los jóvenes que no integran su fe en sus vidas poco a poco se alejan de sus tradiciones religiosas o simplemente dejan de creer en las enseñanzas de la Iglesia.[9] Muchos jóvenes hispanos, al igual que jóvenes de otros grupos raciales y étnicos, tienden a reducir la religión y su fe en Dios a ideas que les hacen sentir bien. Otros simplemente deciden vivir sin afiliación religiosa alguna. Cuando la fe es definida como una serie de ideas que nos hacen sentir bien en la búsqueda de nuestra realización espiritual, se pierde de vista la radicalidad del llamado de Cristo, lo cual es mucho más que sentirse cómodos. Por consiguiente, el acompañamiento de los jóvenes católicos hispanos exige instancias de formación en la fe bien organizadas que incorporen las Escrituras, el tesoro de la Tradición de la Iglesia y sus vidas en particular. Estos jóvenes necesitan personas que los acompañen y testigos que les ayuden a explorar su fe de manera crítica e inspiradora.

Necesitamos ser innovadores

Matthew Bloom, investigador en la Universidad de Notre Dame, afirma que "la innovación en el mejor de los casos parte de la perspectiva de aquella persona cuya experiencia se quiere influenciar—es ver el mundo a través de sus ojos para que puedas entenderlo de una manera más rica y más balanceada".[10] Imaginar estructuras institucionales renovadas a través de los ojos de los jóvenes católicos hispanos generará iniciativas pastorales más creativas y atractivas.

El Papa Francisco es un ejemplo de alguien que modela maneras de interactuar con jóvenes de una manera fresca e innovadora. Aunque no es el primer Papa en hacer esto, se le conoce por compartir el gozo del Evangelio con personas jóvenes usando medios de comunicación social. Anuncia documentos papales y proclama con entusiasmo encuentros con el amor de Dios en frases de 140 caracteres, las cuales llegan a su audiencia usando sus propias plataformas. El Papa propone ejemplos de felicidad fundamentados en las Escrituras, invitando a una lectura diaria del Evangelio. Él no duda en desafiar actitudes hacia la vida que son populares entre los jóvenes de hoy y se encapsulan en expresiones tales como "Solo vives una vez", *YOLO* (*You only live once*) o "Temor a perdértelo", *FOMO* (*Fear of Missing Out*):

> Muchos predican que lo importante es "disfrutar" el momento, que no vale la pena comprometerse para toda la vida, hacer opciones definitivas, "para siempre", porque no se sabe lo que pasará mañana. Yo, en cambio, les pido que sean revolucionarios, les

pido que vayan contracorriente; sí, en esto les pido que se rebelen contra esta cultura de lo provisional, que, en el fondo, cree que ustedes no son capaces de asumir responsabilidades, cree que ustedes no son capaces de amar verdaderamente.[11]

Si ser innovadores exige escuchar a las personas que queremos influenciar y estar presente en los contextos en los que ellas están, entonces tenemos que escuchar a los jóvenes hispanos.

En el año 2006, más de 40.000 jóvenes católicos hispanos y los agentes pastorales caminando con ellos participaron en el *Primer Encuentro Nacional de Pastoral Juvenil Hispana (PENPJH)*. La Declaración de la Misión que acompaña las conclusiones de esta gran reunión habla de los encuentros gozosos con Jesús como fuente del ministerio con esta población. Los jóvenes hispanos se vieron "invirtiendo nuestros dones y talentos en una acción evangelizadora y misionera donde viven, trabajan, estudian y se divierten nuestros compañeros, siguiendo siempre el ejemplo de Jesús".[12] Los jóvenes citaron la necesidad urgente de "enseñanzas amenas y adaptadas a nuestra edad, con dinámicas y métodos que fomenten la participación".[13]

Las conclusiones del *PENPJH* también resaltan la visión para el liderazgo pastoral de aquellos trabajando con jóvenes católicos hispanos. Los jóvenes hispanos no buscan necesariamente agentes pastorales que defiendan la institución a cualquier costo sino puentes "entre ellos y las personas con capacidad de decisión en favor de la pastoral con adolescentes".[14] Ellos anhelan agentes pastorales que abran las puertas a decisiones, planeen con los jóvenes y aboguen usando su sabiduría institucional.

Es escuchando a los jóvenes hispanos en circunstancias como en el *PENPJH* al igual que en nuestros grupos juveniles católicos, parroquias e instituciones académicas que surgirán estrategias creativas y efectivas para acompañar a esta población. A medida que los jóvenes católicos hispanos encuentran su lugar en la Iglesia y en el resto de la sociedad, sus propias narrativas serán fuente de sabiduría. Nuestro papel es acompañarles en este proceso.[15] En nuestro ministerio con jóvenes como Nicole, Ethan y María, en el contexto de educación superior católica, aprendimos que no existe un solo modelo pastoral que pueda responder al mismo tiempo a todas sus necesidades complejas. Sin embargo, queremos proponer al menos dos prácticas que pueden ayudar a otros líderes trabajando con poblaciones similares.[16]

Acompañemos a los jóvenes hispanos en su proceso de discernimiento de identidad con un sentido de reverencia, aun cuando estos procesos al principio parezcan estar en tensión con las enseñanzas de la Iglesia o estándares sociales predominantes. Esto les permitirá a los agentes de pastoral juvenil entender mejor las preocupaciones de los jóvenes con quienes trabajan y las perspectivas que usan para interpretar las realidades complejas que afectan las vidas de los hispanos en los Estados Unidos. Esto es especialmente importante cuando los jóvenes hispanos perciben que las normas actuales que se usan en la sociedad para reglamentar sus relaciones interpersonales son instrumentos de marginación y erosionan su identidad hispana. La meta no es necesariamente ignorar ni tratar de entender dicha percepción sino entender cómo los jóvenes hispanos nacidos en los Estados Unidos llegaron allí.[17] El deseo de afirmar gentilmente su experiencia presente respeta la historia en la cual Dios planea revelar su amor. Si reducimos su identidad a juicios drásticos, su historia no se revelará como un caminar con Dios.[18]

Creemos espacios compartidos para hablar de identidad a la luz de la fe de los jóvenes hispanos. Al compartir su propio caminar de autoconocimiento con otros jóvenes se crea comunidad. Modelos estándares de pastoral con jóvenes católicos invierten en exponer a esta población a ejemplos que viven la fe de manera heroica. Sin embargo, un modelo en el que los mismos jóvenes comparten su fe crea la oportunidad de afirmar sus propias voces y sus experiencias. Este modelo puede dar más frutos en las comunidades de fe católicas al momento de trabajar con los jóvenes hispanos. Reconocemos la centralidad de los movimientos apostólicos entre los jóvenes católicos. Estos movimientos son flexibles en cuanto a su organización, trabajando bien tanto dentro como fuera de las estructuras parroquiales.[19] Las pequeñas comunidades fomentan un sentido único de pertenencia. Cuando los jóvenes hispanos se saben miembros de una iglesia en donde son valorados por lo que son, con sus historias, esperanzas y luchas, es más probable que se acerquen a la riqueza de la tradición católica. Las pequeñas comunidades ayudan a los jóvenes hispanos a afirmar sus voces y su identidad, tanto individual como comunitariamente, mientras que caminan hacia su realización.

Llamado a la acción

Es tentador reducir el análisis de cómo la Iglesia católica en los Estados Unidos sirve a los jóvenes hispanos a encuestas anónimas y análisis estadísticos. Aunque estos instrumentos ofrecen información importante, no podemos perder de vista que estamos acompañando a jóvenes que son hijas e hijos de Dios. Ellos tienen nombres, familias, historias, interrogantes, esperanzas, frustraciones, etc. Necesitamos preguntarnos, ¿de qué manera nuestro servicio a los jóvenes católicos hispanos les comunica el corazón de Cristo? Esta pregunta nos recuerda que lo que hacemos en la pastoral juvenil tiene que reflejar que el encuentro con el Evangelio es verdaderamente una experiencia vivificante. Al mismo tiempo, nuestro encuentro con Nicole, Ethan y María, y muchos otros jóvenes hispanos, con sus historias únicas, es parte de un caminar que nos lleva a construir la Iglesia en esta parte del mundo. Como jóvenes católicos hispanos que trabajamos con otros jóvenes hispanos, sabemos que nuestra vocación es amar: no podemos hacer nada sin amor. Si tenemos éxito al responder a este llamado, engendramos esperanza.

NOTAS DEL CAPÍTULO 1

1 Estas citas vienen de conversaciones entre los estudiantes y los autores.

2 Véase en particular las siguientes dos obras, Hosffman Ospino, ed., *El ministerio hispano en el siglo XXI: presente y futuro.* Miami, FL: Convivium Press, 2010; Hosffman Ospino, Elsie Miranda, y Brett Hoover, eds., *El ministerio hispano en el siglo XXI: asuntos urgentes.* Miami, FL: Convivium Press, 2016.

3 Eileen Patten, "The Nation's Latino Population Is Defined by Its Youth: Nearly Half of U.S. born Latinos Are Younger than 18," *Pew Research Center,* 20 de abril del 2016. Disponible en línea en http://www.pewhispanic.org/2016/04/20/the-nations-latino-population-is-defined-by-its-youth/.

4 Pew Research Center, *Between Two Worlds: How Young Latinos Come of Age in America.* Washington, D.C.: Pew Research Center, 11 de diciembre del 2009, actualizado el 1 de julio del 2013. Disponible en línea en http://www.pewhispanic.org/2009/12/11/between-two-worlds-how-young-latinos-come-of-age-in-america/.

5 Véase por ejemplo Ken Johnson-Mondragón, "El ministerio hispano y la pastoral juvenil hispana", en Ospino, *El ministerio hispano en el siglo XXI: presente y futuro,* 329. También, Christian Smith, *Young Catholic America: Emerging Adults In, Out of, and Gone from the Church.* New York: Oxford University Press, 2014; Ken Johnson-Mondragón y Ed Lozano, "Un modelo de 'comunidad de comunidades' para la pastoral juvenil", capítulo 7 en esta colección.

6 Ken Johnson-Mondragón, "Youth Ministry and the Socioreligious Lives of Hispanic and White Catholic Teens in the U.S.," en Instituto Fe y Vida, *Perspectives on Hispanic Youth and Young Adult Ministry,* n. 2. Stockton, CA: Instituto Fe y Vida, 2005, 7.

7 Cary Funk y Jessica Hamar Martinez, *The Shifting Religious Identity of Latinos in the United States.* Washington, D.C.: Pew Research Center, 2014, 10. Disponible en línea en http://assets.pewresearch.org/wp-content/uploads/sites/11/2014/05/Latinos-Religion-07-22-full-report.pdf.

8 Véase Johnson-Mondragón, "Hispanic Youth and Young Adult Ministry," 110.

9 Véase Funk y Hamar Martinez, *The Shifting Religious Identity of Latinos in the United States,* 41.

10 Entrevista con el Dr. Matthew Bloom llevada a cabo por Faith & Leadership, 26 de septiembre del 2011. Disponible en línea en https://www.faithandleadership.com/matt-bloom-flourishing-ministry.

11 Discurso del Santo Padre Francisco, Encuentro con los voluntarios de la XXVIII Jornada Mundial de la Juventud, Río de Janeiro, Pavillon 5 of the Rio Center, Rio de Janeiro, domingo 28 de julio del 2013. Disponible en línea en https://w2.vatican.va/content/francesco/es/speeches/2013/july/documents/papa-francesco_20130728_gmg-rio-volontari.html.

12 National Catholic Network de Pastoral Juvenil Hispana—La RED, *Conclusiones: Primer Encuentro Nacional de Pastoral Juvenil Hispana.* Washington, D.C.: USCCB, 2008, 54.

13 Ibid., 55.

14 Ibid., 78

15 Véase Ken Johnson-Mondragón y Lynette De Jesús-Sáenz, "Discípulos Misioneros... Jóvenes Callejeros de la Fe", United States Conference of Catholic Bishops, Recurso para el Domingo Catequético 2017. Disponible en línea en http://www.usccb.org/beliefs-and-teachings/how-we-teach/catechesis/catechetical-sunday/living-disciples/spanish/discipulos-misioneros-jovenes-callejeros-de-la-fe.cfm.

16 Estas prácticas están inspiradas en el trabajo de John Paul Lederach y su propuesta de prácticas de fomento de identidad en el contexto de procesos de construcción de paz y transformación de conflictos. El modelo de Lederach se encuentra descrito en John Paul Lederach, *The Little Book of Conflict Transformation*. Intercourse, PA: Good Books, 55-60.

17 Ibid., 60.

18 Véase Fran Ferder y John Heagle, *Your Sexual Self: Pathway to Authentic Intimacy*. Notre Dame, IN: Ave Maria Press, 1992.

19 Véase Lynette De Jesús-Sáenz y Ken Johnson-Mondragón, "Hispanic Ministry and the Pastoral Care of the New Generations of Latino Youth," en Ospino, Miranda y Hoover, eds., *El ministerio hispano en el siglo XXI: asuntos urgentes,* 77.

2

DIEZ REALIDADES URGENTES SOBRE LOS JÓVENES HISPANOS EN ESCUELAS Y UNIVERSIDADES CATÓLICAS

Hosffman Ospino

Hasta hace poco los católicos se contaban entre los sectores más educados de la población estadounidense. Ciertamente tal fue el caso durante la mayor parte de la segunda mitad del siglo XX. Sin embargo, durante la segunda década del siglo XXI, dicha afirmación exige ciertas aclaraciones: *los católicos euroamericanos de raza blanca* constituyen uno de los sectores más educados de la población estadounidense. Las escuelas católicas elementales y secundarias, al igual que las universidades católicas, les dieron una ventaja notable a millones de católicos euroamericanos de raza blanca para sobresalir en nuestra sociedad y servir mejor en la Iglesia. Distintas razones socio-históricas previnieron que esas mismas estructuras educativas no beneficiaron de la misma manera a católicos de raza asiática, indígena y negra, y tampoco a los hispanos.

¿Se adaptarán las estructuras educacionales católicas de nuestro día y operarán proféticamente para darle una ventaja notable a la nueva generación de jóvenes católicos estadounidenses, los cuales son en su mayoría hispanos? Escribo este capítulo con un sentido de esperanza. Creo que sí lo pueden hacer. De hecho, es urgente que lo hagan. La educación católica es un ministerio eclesial.[1] Para llevar a cabo este ministerio hoy en día se requiere el compromiso de visionarios y pioneros como los muchos educadores de hace unas décadas, especialmente mujeres de comunidades religiosas, que se lanzaron a abrir escuelas católicas e instituciones de educación superior, primordialmente en el Noreste y el Medio Oeste. También se necesitará un elemento de conversión pastoral, es decir, apertura para renovar las estructuras de tal manera que "se vuelvan más misioneras, que la pastoral ordinaria en todas sus instancias sea más expansiva y abierta, que coloque a los agentes pastorales en constante actitud de salida y favorezca así la respuesta positiva de todos aquellos a quienes Jesús convoca a su amistad".[2]

Propongo nombrar diez realidades urgentes que nos sirven como oportunidad para ver la situación actual tal como se manifiesta ante nuestros ojos, forzándonos a leer los signos de los tiempos y así responder de una manera informada. Varios datos clave en este capítulo vienen de una investigación que avancé recientemente y sobre la cual escribí un reporte llamado *Escuelas católicas en una Iglesia cada vez más hispana*.[3] Estas realidades urgentes nos ayudarán a evitar dos tentaciones. Por un lado, minimizar la seriedad de la conversación soñando cosas imposibles en lugar de imaginar lo que los jóvenes hispanos pueden y deben hacer en cuanto a su presencia en escuelas y universidades católicas, al igual que lo que instituciones educativas católicas pueden hacer para servir mejor a jóvenes católicos hispanos. Por otro lado, culpa a unos y a otros porque no se ha hecho más para educar mejor a los católicos hispanos. Este capítulo no mira al pasado sino al presente con una perspectiva de futuro. La información y las observaciones aquí nos revelan asuntos complejos. No hay fórmula mágica. Tampoco hay una sola manera de hacer las cosas. No se trata de identificar individuos o instituciones que funcionen como héroes aislados. Las grandes ideas que se mantienen aisladas mueren aisladas. En última instancia, este capítulo es una invitación a crear redes de colaboración, pensar juntos, compartir recursos, diseñar estrategias como comunidad de comunidades y hacer pastoral y teología de conjunto.

Realidad urgente n. 1

Los hispanos constituyen el sector de la población estudiantil que más rápido crece en los Estados Unidos.

En el año 2004, el 19% de los niños matriculados en escuelas elementales y secundarias eran hispanos. En el año 2016 el porcentaje incrementó al 26%. Se estima que para el año 2026 el 29% de todos los niños matriculados en escuelas públicas serán hispanos.[4] Estas tendencias demográficas pronto redefinirán la manera en que las universidades en el país atraen y matriculan estudiantes. De los cerca de 13.2 millones de niños hispanos en edad escolar en el país (en el año 2014), cerca de 8 millones crecían como católicos.[5]

Observaciones: En la historia del catolicismo estadounidense, el número de niños católicos en edad escolar nunca ha sido más grande que ahora. La mayoría de estos niños son hispanos. Los agentes pastorales y educadores católicos necesitan dialogar más detenidamente para diseñar estrategias que de verdad incorporen las necesidades de esta población. Necesitamos evaluar urgentemente cómo estamos educando a cientos de miles de niños, adolescentes y jóvenes hispanos en nuestras instituciones educativas católicas, y preguntarnos cómo podemos servir mejor a los millones que no están allí.

Realidad urgente n. 2

La mayoría de niños hispanos en edad escolar estudian en escuelas en donde predominan minorías raciales y étnicas (78%), especialmente en las grandes ciudades del Oeste del país.

La mayoría de estos niños son católicos y van a escuelas altamente segregadas (90% a 100% de la población estudiantil pertenece a minorías raciales y étnicas). Las escuelas altamente segregadas racial y étnicamente tienden a estar concentradas en barrios pobres, tienen menos recursos para educar a sus estudiantes y su rendimiento académico es mucho más bajo al compararlas con otras escuelas.[6]

Observaciones: La conversación sobre la educación de los niños y los jóvenes hispanos no se puede limitar a lo que ocurre en las escuelas y universidades católicas. Es urgente que la conversación sobre cómo se están educando los niños hispanos, en su mayoría católicos, sea parte de los esfuerzos también de la pastoral juvenil. El acompañamiento pastoral de adolescentes y jóvenes hispanos tiene que potenciar a las familias y a los jóvenes hispanos a desafiar las anomalías del sistema educativo público que afectan negativamente a nuestros jóvenes católicos. Estas familias y estos jóvenes necesitan aprender cómo exigir educación de calidad. Es en este momento histórico en el cual necesitamos recobrar con urgencia la gran tradición de la Iglesia organizando y educando a sus comunidades.

Realidad urgente n. 3

Las escuelas católicas necesitan niños y jóvenes hispanos.

Las escuelas católicas necesitan incrementar el número de estudiantes y atraer a las nuevas generaciones de católicos en los Estados Unidos, en su mayoría hispanos, para mantener su vitalidad durante el siglo XXI.[7] Para que estas escuelas sean auto-sostenibles y puedan ser eficaces en su servicio a la misión evangelizadora de la Iglesia, necesitan explorar maneras claras de abrir sus puertas a esta nueva generación (primordialmente hispana) e invitarle a invertir en su presente y su futuro.

Observaciones: Las escuelas católicas son un tesoro importante para la Iglesia en los Estados Unidos que le permite avanzar su misión evangelizadora de manera efectiva. Necesitamos intensificar el compromiso de incrementar la presencia de niños hispanos y sus familias en estas instituciones. Las escuelas católicas necesitan desarrollar planes claros para determinar la población estudiantil que quieren matricular y compartirlos con los líderes pastorales que trabajan en el ministerio hispano al igual que con aquellos que trabajan en la pastoral juvenil hispana. Necesitamos ayudar a las familias hispanas que están criando niños y jóvenes para que entiendan su papel activo e inviertan en el futuro de la educación católica. Necesitamos invitar a las familias hispanas jóvenes que están criando niños a ser parte de la vida de las escuelas católicas.

Realidad urgente n. 4

Los niveles de graduación entre los jóvenes hispanos han mejorado notablemente, aunque todavía queda mucho por hacer.

Las tasas de deserción escolar secundaria entre los hispanos entre los 18 y los 24 años han disminuido notablemente entre el año 2000 (32%) y el año 2016 (10%).[8] Hacia el año 2016, cerca del 47% de los jóvenes hispanos de estas edades que se graduaron de la escuela secundaria estaban matriculados en programas de educación superior.[9] Estos altos logros son históricos. Sin embargo, los hispanos siguen muy atrás en cuanto al número de jóvenes que completan programas universitarios de cuatro años que conceden un título profesional (bachelor's degree, en inglés), en comparación con jóvenes de raza asiática, raza negra y raza blanca: "En el año 2014, entre los hispanos entre las edades de 25 a 29 años, solo el 15% tenía un título profesional (bachelor's degree, en inglés) o estudios más avanzados". Al mismo tiempo, la mitad de los hispanos (48%) matriculados en programas de educación superior lo hacían en instituciones con programas de dos años.[10]

Observaciones: La pastoral juvenil hispana necesita incorporar iniciativas que ayuden a los jóvenes hispanos a planear su educación superior. Entre tales iniciativas se puede pensar en programas de acompañamiento, ayuda a entender el proceso de aplicación a universidades y motivación constante para apreciar el valor de la educación superior. Las universidades católicas necesitan estar presentes en las parroquias con ministerio hispano y trabajar con los distintos movimientos apostólicos en los cuales los jóvenes hispanos se nutren espiritualmente. Necesitamos más universidades católicas explorando la posibilidad de invertir en programas de educación superior de dos años.

Realidad urgente n. 5

Solo el 4% de todos los niños católicos hispanos en edad escolar estudian en escuelas católicas.

La Asociación Nacional de Educación Católica (NCEA, por sus siglas en inglés) reporta que aproximadamente el 17.4% (319,650) de los estudiantes matriculados en escuelas católicas durante el año escolar 2017-2018 eran hispanos.[11] Al comparar estos números con el total de toda la población hispana en edad escolar (aprox. 13.2 millones), incluyendo niños católicos y de otras tradiciones religiosas, solo el 2.4% de estos niños hispanos están matriculados en estas escuelas. Solo el 4% de los niños católicos hispanos en edad escolar están matriculados en estas instituciones.

Observaciones: Las escuelas católicas necesitan incrementar sus esfuerzos para diversificar su población estudiantil atrayendo a más niños hispanos y a sus familias. Esto también exige crear ambientes académicos que incorporen naturalmente la cultura y las tradiciones religiosas de las familias hispanas, incluyendo la riqueza del idioma español. Para hacer esto, las escuelas católicas pueden trabajar en conjunto con agentes pastorales involucrados en esfuerzos de pastoral juvenil hispana. Estos agentes pastorales a su vez pueden involucrarse en la escuela como maestros, miembros de juntas directivas, consultores e incluso considerar la posibilidad de trabajar en escuelas católicas. Los agentes pastorales trabajando con jóvenes hispanos necesitan saber bien cómo funcionan las escuelas católicas, ser embajadores que conecten a las familias hispanas con estas escuelas y servir como gente puente entre parroquias y escuelas.

Realidad urgente n. 6

Cerca de dos terceras partes de niños hispanos viven en familias de bajos ingresos y una tercera parte vive en la pobreza.

El costo promedio de la matrícula por estudiante en las escuelas católicas elementales para el año académico 2017-2018 fue de $4.841. El costo promedio de la matrícula por estudiante en las escuelas católicas secundarias durante el mismo período fue de $11.239.[12] Ninguno de estos dos promedios cubre de manera real el costo actual de la educación de un estudiante en estas escuelas. La práctica de cobrar matrículas que están por debajo del costo actual de la educación de los estudiantes ha creado un gran problema fiscal para miles de escuelas católicas en el país. Diócesis y parroquias están explorando creativamente modelos económicos para cerrar la brecha entre costo real y matricula actual (ej. filantropía, fundaciones, convenios con universidades, etc.), pero en la mayoría de los casos hacer esto conduce a incrementar la matrícula.[13] Por otro lado, en el año 2016 el 59% de los niños hispanos vivían en familias de bajos ingresos y aproximadamente 3 de cada 10 (29%) en condiciones de pobreza, con 1 de cada 5 niños (19%) viviendo en condiciones de pobreza extrema.[14] Más de un tercio de los niños hispanos vive en barrios en donde la pobreza se haya concentrada.[15]

Observaciones: La pastoral juvenil es ante todo un ministerio de compromiso profético y acompañamiento. Los agentes pastorales involucrados en este ministerio deben trabajar en conjunto con las escuelas católicas para incrementar las oportunidades para que los jóvenes católicos se matriculen en ellas. ¿Cómo? Buscando fondos, escribiendo cartas, participando en eventos escolares, motivando patrocinadores y personas que apoyen, acompañando a jóvenes hispanos como mentores, etc. Los agentes pastorales trabajando en la pastoral juvenil hispana pueden jugar un papel muy importante estableciendo relaciones con universidades católicas, organizaciones y fundaciones filantrópicas en favor de las personas a las que sirven. Estos agentes pastorales pueden ayudar a educar a las familias hispanas sobre asuntos relacionados con los costos de la educación católica, las muchas oportunidades que hay para financiarla y la necesidad de invertir en las escuelas católicas al igual que en sus hijos. Ambas formas de inversión fluyen de nuestro compromiso de participar en la misión evangelizadora de la Iglesia.

Realidad urgente n. 7

La mayoría de los líderes católicos concuerdan que la educación de los niños hispanos es una prioridad.

Prácticamente todo agente pastoral y líder involucrado en el ministerio hispano y en esfuerzos de educación católica está de acuerdo con que la educación católica de los niños, adolescentes y jóvenes hispanos tiene que ser una prioridad para la Iglesia en los Estados Unidos.

Los obispos dicen: "Las diócesis y parroquias deberán tomar los pasos necesarios para ayudar a incrementar la accesibilidad y asistencia de niños y jóvenes hispanos a escuelas católicas, posiblemente mediante becas y otros incentivos".[16]

Un director diocesano de ministerio hispano afirma: "Hay que crear un sistema para promover las escuelas católicas en la comunidad hispana".[17]

Líderes clave por lo general saben de la existencia de otros líderes clave con los que pudieran trabajar con esta meta en común: el 97% de los directores diocesanos de ministerio hispano (o su equivalente) saben que hay una oficina diocesana de escuelas católicas (o su equivalente); el 72% de los directores de las escuelas católicas al servicio de familias hispanas saben que existe una oficina diocesana de ministerio hispano.[18]

Observaciones: Existe un gran nivel de energía entre nuestros agentes pastorales y líderes educacionales católicos en cuanto al deseo de ofrecer la mejor educación posible a niños, adolescentes y jóvenes hispanos. ¡Aprovechemos esa energía! Todos los líderes pastorales y educacionales católicos necesitamos crear planes para encontrarnos unos con otros, reunirnos de manera regular, planear juntos, aprender los unos de los otros y celebrar el potencial de una Iglesia que es cada vez más hispana. Es urgente promover y compartir nuestras mejores prácticas de colaboración.

Realidad urgente n. 8

Los agentes pastorales que insisten en la importancia de la educación católica y el acompañamiento pastoral de los jóvenes hispanos raramente trabajan juntos.

Aunque hay mucha energía entre los agentes pastorales que hacen ministerio hispano y los líderes que trabajan en el mundo de la educación católica para asegurarse de que los niños, adolescentes y jóvenes hispanos se benefician de las instituciones educativas católicas, las redes de comunicación y colaboración son muy frágiles. Al centro de dicha realidad existe una "mentalidad de aislamiento" que no permite que se unan esfuerzos, se compartan recursos y se planee en conjunto.[19] También parece que hay poco conocimiento sobre las posibles contribuciones que cada uno trae a la conversación para lograr metas comunes. Solo el 38% de los directores de escuelas católicos al servicio de familias hispanas saben de la existencia de un director de ministerio hispano en una parroquia aledaña. Solo el 29% indicó que trabajaban con la oficina diocesana de escuelas católicas en un proyecto que involucraba a su escuela y a familias y estudiantes hispanos. Solo la mitad (51%) de los directores diocesanos de ministerio hispano indicaron haber llevado a cabo un proyecto en colaboración con la oficina diocesana de escuelas católicas para promover el acceso de niños y jóvenes hispanos a las escuelas católicas o apoyar a las familias hispanas que ya están en estas instituciones.[20]

Observaciones: ¡Tenemos que vencer la mentalidad de aislamiento que nos aqueja en todos los niveles de la Iglesia! El acompañamiento pastoral y espiritual de los jóvenes hispanos tiene que inspirar instancias creativas de pastoral de conjunto. La contradicción que existe entre el deseo de líderes pastorales y educacionales de querer trabajar juntos y no hacerlo exige una evaluación honesta de aquellos obstáculos que impiden que lo hagamos. Necesitamos nombrar los prejuicios que no nos dejan avanzar juntas la misma misión: prejuicios raciales, lingüísticos, educacionales, culturales e incluso políticos. Todos los líderes pastorales y educacionales trabajando con niños y jóvenes católicos tenemos que desarrollar las debidas competencias interculturales, especialmente aquellas que nos ayudarán a trabajar mejor con jóvenes hispanos, tanto nacidos en los Estados Unidos como inmigrantes.

Realidad urgente n. 9

Cerca del 12.2% del total de la población estudiantil en universidades católicos es hispano.

En el año 2016, cerca de 3.6 millones (47%) de jóvenes hispanos entre las edades de 18 y 24 que habían terminado de escuela secundaria estaban matriculados en una institución de educación superior (cerca de la mitad en instituciones con programas de dos años).[21] Teniendo en cuanta los datos más recientes disponibles (año 2016), la Oficina del Censo de los Estados Unidos reporta que aproximadamente el 19.6% de los hispanos matriculados en programas de educación superior se graduaron de escuelas privadas (cerca de 771.000 estudiantes).[22] La Asociación de Universidades Católicas (ACCU, por sus siglas en inglés) estimó que en el año 2018 el 12.2% de más de 900.000 estudiantes matriculados en universidades católicas eran hispanos.[23] Este número corresponde a aproximadamente el 14% de todos los estudiantes hispanos que van a universidades de educación superior privadas.[24]

Observaciones: La Oficina del Censo de los Estados Unidos calculó que en el año 2016 cerca del 15.3% de los hispanos mayores de 25 años tenía un título profesional (*bachelor's degree,* en inglés) o estudios más avanzados.[25] El porcentaje incrementó cerca de 2 puntos cuando se incluyeron a los hispanos entre las edades de 21 a 25 años. Sin embargo, el promedio se mantiene muy bajo al compararlo con grupos de raza asiática, blanca y negra en el país. Los agentes pastorales que trabajamos con jóvenes hispanos necesitamos entender urgentemente las implicaciones inmediatas y futuras de una población hispana con muy bajos niveles educacionales. Sin una fuerza laboral profesional católica en una iglesia cada vez más hispana, la institución más afectada es la misma iglesia. Sin un grupo sólido de profesionales, el número de sacerdotes, ministros eclesiales laicos cualificados, religiosas y religiosos en posiciones de decisión, maestros, administradores escolares, investigadores, teólogos, científicos y profesionales católicos en otros campos será muy pequeño, casi inexistente en varias partes del país. Las instituciones que previas generaciones de católicos estadounidenses crearon con gran trabajo puede simplemente desaparecer o perder su identidad católica a medida que pasan a ser guiadas por líderes muy capaces profesionalmente, pero sin una experiencia profunda de la tradición espiritual, cultural y teológica católica. Sin una masa crítica de profesionales católicos (hispanos) en el siglo XXI, la Iglesia perderá gran parte de su voz y presencia en la arena pública. Este es el momento apropiado para que las universidades católicas asuman el liderazgo. Sin embargo, sabemos que el número de jóvenes hispanos en estas instituciones es muy pequeño en comparación con el tamaño de este sector de la población estudiantil. Este es el momento para que las universidades católicas y los centros católicos en instituciones que no son parte de esta tradición religiosa trabajen en conjunto con los agentes pastorales que acompañan a los católicos hispanos.

Realidad urgente n. 10

La brecha cultural, social y económica entre las familias hispanas y las universidades católicas es demasiado grande.

A pesar de los muchos beneficios que ofrecen las instituciones católicas de educación superior,[26] la mayoría de jóvenes hispanos y sus familias no las consideran como primera opción para la educación superior. Podemos nombrar varias razones. Uno, las universidades católicas son cada vez más selectivas. Sin embargo, la mayoría de jóvenes hispanos van a escuelas públicas con niveles académicos muy bajos, y por consiguiente se quedan sin recibir la educación necesaria para sobresalir en la vida universitaria, especialmente en instituciones privadas con alto nivel competitivo. Dos, aunque hay becas disponibles, los costos asociados con la educación en una universidad católica son inalcanzables para la mayoría de familias hispanas, la mayoría de las cuales viven en la pobreza o cerca del nivel de pobreza (durante el año académico 2016-2017 el costo promedio de matrícula y otros pagos en estas instituciones era de $31.489). Tres, los estudiantes hispanos y sus familias por lo general son menos inclinados a evitar sacar préstamos estudiantiles.[27] Cuatro, la proximidad a la familia y a los amigos con los que crecieron juega un papel decisivo entre los jóvenes hispanos a la hora de escoger una universidad y determinar si es un ambiente apropiado para pasar varios años de su vida.[28]

Observaciones: Las universidades católicas pueden y deben hacer mucho más para educar a los jóvenes católicos hispanos. Esto exige identificar los contextos en donde estos jóvenes de hecho viven. Un punto de partida puede ser la pastoral juvenil hispana y otros esfuerzos ministeriales similares. Las oficinas de admisiones de las universidades católicas deben ser más intencionales en establecer colaboraciones con agentes pastorales trabajando con adolescentes y jóvenes hispanos. Al mismo tiempo, estos agentes pastorales tienen que tomar la iniciativa de aprender más sobre cómo trabajan las universidades católicas y crear caminos para que *los jóvenes hispanos* con los que trabajan consideren estas instituciones como una opción para su educación profesional. Las universidades católicas necesitan examinar de qué manera acogen—o no—a los estudiantes hispanos. Sabiendo que la mayoría de los hispanos viven exactamente en las partes del país—Sur y Oeste—en donde el número de universidades católicas es muy pequeño, necesitamos conversaciones serias sobre la posibilidad de crear nuevas instituciones católicas de educación superior en aquellas zonas geográficas. Los católicos estadounidenses lo hicieron en el pasado con mucho sacrificio, aunque con muy buenos resultados. Tenemos que hacerlo una vez más.

Conclusión

La conversación sobre la educación de los jóvenes católicos hispanos en nuestras instituciones educativas católicas exige la participación de distintas voces. Aparte de aquellas que normalmente se preocupan de estos asuntos, comenzando con los obispos, las organizaciones educacionales católicas y los líderes educacionales católicos, tenemos que asegurarnos que también involucramos a los adolescentes y a los jóvenes hispanos, sus familias y sus redes sociales y eclesiales. La recomendación puede sonar simplista, pero desafortunadamente no está ocurriendo. La ausencia de líderes hispanos con poder de decisión guiando conversaciones urgentes como educadores y administradores en escuelas, universidades e instituciones educativas católicas similares es inquietante. Creo que podemos cambiar esta realidad. Que comience la conversación.

Notas del Capítulo 2

1 "De la identidad católica, en efecto, nacen los rasgos peculiares de la escuela católica, que se 'estructura' como sujeto eclesial, lugar de auténtica y específica acción pastoral. Ella comparte la misión evangelizadora de la Iglesia, y es lugar privilegiado en el que se realiza la educación cristiana. En este sentido, 'las escuelas católicas son al mismo tiempo lugares de evangelización, de educación integral, de inculturación y de aprendizaje de un diálogo vital entre jóvenes de religiones y de ambientes sociales diferentes,'" Congregación para la Educación Católica, *La escuela católica en los umbrales del tercer milenio,* Vaticano: Iglesia católica, 1997, n. 11.

2 Papa Francisco, *Exhortación Apostólica La Alegría del Evangelio,* Sobre el anuncio del Evangelio en el mundo actual, 2013, n. 27.

3 Véase Hosffman Ospino y Patricia Weitzel-O'Neill, Escuelas católicas en una Iglesia cada vez más hispana: reporte general de los resultados del estudio nacional de escuelas católicas al servicio de familias hispanas. Huntington, IN: Our Sunday Visitor, 2016.

4 Véase Centro Nacional de Estadísticas Educacionales en http://nces.ed.gov/programs/coe/indicator_cge.asp. La cifra para el año 2016 viene de la Oficina del Censo de los Estados Unidos, Encuesta sobre la comunidad estadounidense, 2016 muestra de micro-datos para uso público.

5 Véase Mark M. Gray, *Catholic Schools in the United States in the 21st Century: Importance in Church Life, Challenges, and Opportunities.* Washington, D.C.: Center for Applied Research in the Apostolate, 2014, 14.

6 Patricia Gándara, "Education of Latinos," *Encyclopedia of Diversity in Education.* Thousand Oaks, CA: Sage, 2012, 1345-1350.

7 Durante el año académico 2017-2018, había 1.274.162 estudiantes in 5.158 escuelas de educación elemental y media (con un promedio de 247 estudiantes por escuela) and 561.214 in 1.194 estudiantes en escuelas secundarias (con un promedio de 470 estudiantes por escuelas). Véase Dale McDonald y Margaret M. Schultz, *United States Catholic Elementary and Secondary Schools, 2017-2018.* Arlington, VA: National Catholic Educational Association, 2018.

8 Véase John Gramlich, "Hispanic Dropout Rate Hits New Low, College Enrollment at New High," *Pew Research Center,* 29 de septiembre del 2017, disponible en línea en http://www.pewresearch.org/fact-tank/2017/09/29/hispanic-dropout-rate-hits-new-low-college-enrollment-at-new-high/. Nota: "tasa de deserción" (dropout rate, en inglés) hace referencia a personas de esta edad que nunca terminaron su educación secundaria.

9 Ibid.

10 Véase Manuel Krogstad, "5 Facts about Latinos and Education," *Pew Research Center,* 28 de julio del 2016, disponible en línea en http://www.pewresearch.org/fact-tank/2016/07/28/5-facts-about-latinos-and-education/.

11 Véase McDonald y Schultz, *United States Catholic Elementary and Secondary Schools, 2017-2018.*

12 Véase McDonald y Schultz, *United States Catholic Elementary and Secondary Schools, 2017-2018.*

13 Véase Ospino y Weitzel O'Neill, *Escuelas católicas en una Iglesia cada vez más hispana,* 90-92.

14 Oficina del Censo de los Estados Unidos, Encuesta sobre la comunidad estadounidense, 2016 muestra de micro-datos para uso público.

15 David Murphey, Lina Guzman, y Alicia Torres, *America's Hispanic Children: Gaining Ground, Looking Forward,* (Child Trends, 2014), disponible en línea en http://www.childtrends.org/wp-content/uploads/2014/09/2014-38AmericaHispanicChildren.pdf.

16 United States Conference of Catholic Bishops, *Encuentro y Misión: Un Marco Pastoral Renovado para el Ministerio Hispano,* USCCB, Washington, D.C. 2002, n. 54.4.2.

17 Cita proveniente de material obtenido para el Estudio nacional de parroquias católicas con ministerio hispano que no se había publicado anteriormente.

18 Ospino y Weitzel O'Neill, *Escuelas católicas en una Iglesia cada vez más hispana,* 103.

19 Ibid., 104.

20 Ibid., 103.

21 Véase John Gramlich, "Hispanic Dropout Rate Hits New Low" y Manuel Krogstad, "5 Facts about Latinos and Education."

22 Oficina del Censo de los Estados Unidos, Encuesta sobre la comunidad estadounidense, 2016 muestra de micro-datos para uso público.

23 Véase la página web de la Asociación de Universidades Católicas (Association of Catholic Colleges and Universities - ACCU), "Five Facts about Hispanics and Latinos at Catholic Colleges and Universities," http://www.accunet.org/Portals/70/Images/Publications-Graphics-Other-Images/FiveFactsAboutHispanicsinCatholicHigherEducation.jpg.

24 En enero del 2004 Joseph Pettit publicó un reporte titulado "Enrollment in Catholic Higher Education in the United States: 1980 to 2000". En este reporte Pettit estimó que para el año 2000, el 8.2% de los estudiantes matriculados en las 260 universidades católicas en aquel momento eran hispanos. Ver el reporte disponible en línea en http://cherc.villanova.edu/research/pdf_j_pettit_enrollment.pdf.

25 Oficina del Censo de los Estados Unidos, "Facts for Features: Hispanic Heritage Month 2017," disponible en línea en https://www.census.gov/newsroom/facts-for-features/2017/hispanic-heritage.html.

26 Véase http://www.accunet.org/Catholic-Higher-Ed-FAQs

27 Véase Frances Contreras, "Latino Students in Catholic Postsecondary Institutions," *Journal of Catholic Education,* 19, 2 (2016), 90. Véase también, Manuel Krogstad, "5 Facts about Latinos and Education."

28 Véase Frances Contreras, "Latino Students in Catholic Postsecondary Institutions," 89-91. Véase también Alberto F. Cabrera y Steven M. La Nasa, "On the Path to College: Three Critical Tasks Facing America's Disadvantaged," *Research in Higher Education,* 42, 2 (2001): 119-149.

Acompañamiento Pastoral de Adolescentes Hispanos Vulnerables

Vincent A. Olea

Gran parte de la juventud hispana en los Estados Unidos continúa viviendo en condiciones persistentes de marginación y discriminación. Muchas residen en las periferias de nuestra sociedad desprotegidas y vulnerables sin poder acceder ni beneficiarse de sistemas e instituciones. Aún en nuestras comunidades de fe católicas, muchas permanecen invisibles, ignoradas y excluidas de nuestros esfuerzos ministeriales. Estas realidades de desconexión revelan un problema serio que exige que los agentes pastorales pongamos atención si realmente queremos acompañar fielmente y apoyar a la juventud hispana que vive actualmente en las periferias.

En este capítulo propongo imaginar enfoques pastorales que afirman la participación de los adolescentes hispanos vulnerables en su propio proceso de salvación. Esta es un llamado a transformar la manera en que hacemos pastoral con adolescentes dando voz y acompañando.

Realidades preocupantes

Con frecuencia se habla de la población a la que me refiero en este capítulo como "adolescentes en condiciones de riesgo", pero prefiero usar el término "vulnerable" al hablar de personas jóvenes que son afectadas negativamente por actitudes sociales desfavorables al igual que por estructuras económicas, sociales y políticas problemáticas. Al hacer esto, pongo de relieve la desventaja del uso de categorías que se enfocan en situaciones adversas (ej., "los pobres", "los pandilleros", "los adictos"), las cuales culpan implícitamente a quienes se encuentran en ellas, estigmatizan la manera como ellos se identifican y cómo los demás los perciben, y distorsionan la habilidad de apreciar la belleza que cada uno posee.

Muchas personas hispanas jóvenes hoy en día, sin haberlo buscado, tienen que navegar una sobreabundancia de situaciones desfavorables que afectan su vida diaria. Esto nos recuerda los efectos profundos de dinámicas sociales como el racismo institucional y la pobreza, las cuales disminuyen de manera desproporcionada la calidad de vida de personas que son parte de minorías raciales. Los efectos de dichas condiciones en la experiencia de la juventud hispana se reflejan en muchas áreas de sus vidas, incluyendo el acceso a educación de calidad, cuidado de la salud, recursos para confrontar adicciones, salud mental, empleo, nutrición, reforma migratoria y justicia legal, entre otras. Estos efectos también se hacen evidentes por medio de condiciones persistentes de violencia, abuso policial, altos niveles de encarcelamiento y uso de drogas.

He aquí algunas estadísticas que demuestran cómo los hispanos, especialmente los jóvenes, son afectados por algunas de estas realidades:

Pobreza: Según los estimados de la Oficina del Censo de los Estados Unidos para el año 2016, 12.95 millones de hispanos o 22.6% de la población hispana en los Estados Unidos viven por debajo del nivel de pobreza, comparados con el 16.15% de la población general y el 12.05% de la población blanca.[1]

Educación: El centro Pew Research reporta que los hispanos tienen la tasa más alta de deserción escolar a nivel de educación secundaria (12%) al compararlos con la población negra (7%) y la población blanca (5%).[2]

Uso de drogas: Los Centros para el Control y la Prevención de Enfermedades (*Centers for Disease Control and Prevention*, en inglés) reporta que "la prevalencia de uso en algún momento" de alcohol, alucinógenos, cocaína, inhalantes, *éxtasis,* y metanfetaminas entre los adolescentes hispanos es más alta al compararlos con las poblaciones negra y blanca.[3]

Pandillas: El Centro Nacional de Pandillas (*National Gang Center,* en inglés) reporta que el 46% de los miembros de pandillas en el país son hispanos, el 35% son negros y el 11% son blancos.[4]

Cuidado de salud: La Oficina del Censo de los Estados Unidos reporta que el 11% de los adolescentes hispanos (entre los 14 y los 17 años) no tienen seguro de salud, comparados con el 4% de los adolescentes negros o asiáticos. Entre los jóvenes (de los 18 a los 30 años), el 26% de los hispanos no tienen seguro de salud, comparados con el 10% de los jóvenes en las poblaciones blanca y asiática, y el 18% del mismo grupo de la población negra.[5]

Sin lugar a duda, estas estadísticas exigen que los agentes pastorales católicos entendamos cómo estas realidades afectan a la juventud hispana en nuestras comunidades. Para ello, veamos más de cerca algunas áreas clave que afectan las vidas de los adolescentes hispanos en maneras que con frecuencia son ignoradas o rechazadas cuando se avanzan esfuerzos de la pastoral católica con adolescentes. Estas áreas incluyen: salud mental, vulnerabilidad de adolescentes hispanos LGBTQ e identidad.

Salud mental

Los factores estresantes de enfermedades mentales asociados con factores socioeconómicos causan un nivel alto de inestabilidad en cuanto a seguridad, sentido de pertenencia, equilibrio económico, expectativas de vida y prosperidad a largo plazo. Se estima que cerca del 29.7% de los hispanos sufren por causa de un desorden de salud mental en algún momento de sus vidas.[6]

Se sabe que los estresores relacionados con movimientos migratorios y pos-migratorios contribuyen a condiciones de depresión, ansiedad y trastorno por estrés postraumático entre adolescentes inmigrantes. Los estresores relacionados con la migración incluyen eventos traumáticos, peligro, separación familiar, incertidumbre al estar sin documentación, discriminación, carencia de opciones para migrar y el proceso de aculturación.[7] Por otro lado, los desafíos que enfrentan los inmigrantes al adaptarse a la vida en los Estados Unidos, tales como el buscar empleo, aprender un idioma nuevo, ajustarse a normas y costumbres sociales, y la experiencia de discriminación, generan "estrés que es fruto del proceso de aculturación", el cual contribuye a "una baja autoestima, síntomas de depresión y mayores posibilidades de consideración de suicidio".[8]

En cuanto a los adolescentes hispanos de manera específica, la encuesta *Youth Risk Behavior Surveillance–United States, 2017* de los Centros para el Control y Prevención de Enfermedades revela los siguientes datos preocupantes:

- Los estudiantes hispanos se sienten tristes o sin esperanza en una proporción mucho más alta (33.7%) que los estudiantes blancos (30.2%) y negros (29.2%); las estudiantes hispanas son más afectadas que cualquier otro grupo (46.8%).

- Los estudiantes hispanos consideraron *seriamente* cometer suicidio en una proporción similar (16.4%) a los estudiantes blancos (17.3%) y más alta que los estudiantes negros (14.7%); las estudiantes de cualquier raza/etnicidad (22.1%) lo consideraron más que sus compañeros varones (11.9%).

- Los estudiantes hispanos (8.2%) y negros (9.8%) intentaron cometer suicidio en una proporción más alta que los estudiantes blancos (6.1%); las estudiantes hispanas (10.5%) lo intentaron más que sus compañeros hispanos varones (5.8%).

- Los estudiantes hispanos tienen más probabilidades de planear un suicidio (13.5%), comparados a los estudiantes negros y blancos.[9]

Estas estadísticas alarmantes revelan la severidad de la angustia mental que experimentan los adolescentes hispanos, especialmente las muchachas. Esta realidad es causa de preocupación, especialmente porque el suicidio es la segunda causa más común de muerte entre las personas de 10 a 34 años de edad.[10] Aun así, solo el 36% de los hispanos que sufren de depresión reciben atención médica.[11] Estas realidades exigen esfuerzos de pastoral con adolescentes que establezcan una colaboración con profesionales de la salud mental para establecer maneras accesibles y culturalmente integradas para acompañar a los adolescentes hispanas y a sus familias.

Vulnerabilidad y adolescentes hispanos LGBTQ

Personas que se identifican como lesbianas, gay, homosexuales, bisexuales, transgénero o questioning sufren diariamente por causa de persecución, discriminación y privación de sus derechos. Valiéndose de perspectivas sociales y religiosas, estas personas con frecuencia son marginadas, juzgadas duramente e incluso condenadas en nombre de la religión y de Dios. Aunque los católicos hemos progresado bastante en el acompañamiento de estos grupos afirmando la inviolabilidad de su dignidad como hijos e hijas de Dios, necesitamos hacer mucho más. Las personas hispanas jóvenes en estos grupos son miembros de nuestras propias comunidades de fe y familias que buscan ser aceptados, pertenecer y ser apoyados.

En el año 2012, la Campaña por los Derechos Humanos encuestó 1.937 adolescentes LGBT entre las edades de 13 y 17 años. El reporte reveló lo siguiente:

- La falta de aceptación y apoyo familiar es el problema número uno que estos adolescentes identificaron.[12]

- Más de la mitad de los adolescentes hispanos LGBT (53%) dijeron haber escuchado mensajes negativos de parte de sus familiares sobre ser LGBT. Solo uno de cada cuatro (26%) dijo haber escuchado mensajes positivos de parte de sus familiares.[13]

- Dos de cada tres (66%) adolescentes hispanos LGBT indicaron que los líderes religiosos eran la fuente de los mensajes negativos sobre la experiencia de ser LGBT. Solo el 3% dijo que los líderes religiosos eran fuente de mensajes positivos.[14]

- Los adolescentes hispanos LGBT son más propensos a ser hostigados y a ser víctimas de actos violentos comparados con adolescentes hispanos que nos son LGBT, y es muy probable que no participen en las actividades de la comunidad.[15]

Estas estadísticas revelan claramente la marginación, discriminación y violencia que sufren los adolescentes hispanos LGBTQ. No es un accidente que el 45% de los adolescentes que viven sin hogar/de todas las razas y etnicidades—en los Estados Unidos son LGBTQ.[16] ¿Qué estamos haciendo como católicos para acompañar a estas personas jóvenes?

Identidad

El tema del desarrollo de la identidad entre los adolescentes vulnerables puede ser analizado desde dos perspectivas: desarrollo de la identidad como fuente de confusión, estrés y marginación, y desarrollo de la identidad como fuente de adaptabilidad.

La confusión y el sufrimiento en el proceso de desarrollo de la identidad se manifiestan en los hispanos, inmigrantes y nacidos en el país, de distintas maneras. Los padres y sus hijos, representando distintas generaciones, batallan usando sus propios recursos para navegar los sistemas sociales estadounidenses mientras que sienten tensión entre culturas y el deseo de pertenecer. La primera generación de personas hispanas nacidas en los Estados Unidos[17] y la generación 1.5[18] son las primeras en sus familias que son criadas bajo la fuerte influencia de la cultura predominante, la cual es consumista y fuertemente definida por los medios de comunicación, mientras que viven en hogares donde predominan los sonidos, olores, imágenes, sabores y valores de la cultura hispana. Estos adolescentes son bilingües y con frecuencia son "mediadoras lingüísticas" para sus padres, asumiendo la responsabilidad de traducir, comunicar y representar a sus padres en situaciones en las cuales se requiere el uso de inglés.[19] Buscan pertenecer, como lo quieren hacer todos los adolescentes, pero experimentan el estrés, la ansiedad y la depresión que son resultado de negociar una identidad bicultural.

El desarrollo de la identidad también juega un papel importante en la habilidad de confrontar y navegar la vida.

En este caminar, nuestra esperanza es que, con el apoyo de la familia y de la comunidad de fe, cada adolescente sea capaz de: a) mantener un sentido positivo de sí mismo y de los demás, b) conocer que es parte muy importante de una comunidad, y 3) como parte de una comunidad, buscar manera de contribuir a la transformación de la vida comunitaria. Estas palabras de esperanza y posibilidad revelan la capacidad humana de adaptación.

Reexaminemos ciertas suposiciones

La información compartida hasta el momento invita a hacernos ciertas preguntas sobre nuestra capacidad como Iglesia para estar presentes y acompañar a nuestros adolescentes que sufren. Con frecuencia, nuestros esfuerzos ministeriales son limitados porque carecen de recursos económicos y de personal contratado, la falta de capacitación sobre temas relacionados con experiencias de alto riesgo, los pocos esfuerzos para acompañar a los adolescentes vulnerables al enfocarnos casi que exclusivamente en la formación sacramental, el poco acceso a los servicios locales y el poco compromiso de parte de sacerdotes y obispos. Estas realidades se deben dialogar con frecuencia en los procesos de planeación pastoral. Tenemos que cuestionar qué presuposiciones existen en cuanto al espacio de la pastoral con adolescentes y cómo este espacio influencia la manera como percibimos a los adolescentes hispanos.

Al observar de manera general cómo funciona típicamente la pastoral con adolescentes, nos damos cuenta que la parroquia es el espacio central en donde este ministerio ocurre. Hay mucho que afirmar sobre este espacio. Sin embargo, cuando reducimos nuestro trabajo pastoral con adolescentes a la parroquia, la trayectoria de los esfuerzos de alcance es unidireccional: solo los adolescentes que vienen desde sus propios contextos a participar en la vida parroquial se benefician de nuestros esfuerzos pastorales. Tal perspectiva es evidente en el documento *Renovemos la visión: fundamentos para el ministerio con jóvenes católicos,* el cual se presenta como "un esquema para el desarrollo continuo de un ministerio efectivo con los adolescentes más jóvenes y los mayores".[20]

Un análisis crítico del documento revela que en su esfuerzo de promover la parroquia como el espacio de la pastoral, termina ignorando la vida diaria de los adolescentes como espacio ministerial y como fuente de descubrimiento salvífico. Aunque habla sobre el contexto de los adolescentes (con relación al servicio, el cuidado pastoral y la justicia),[21] el documento funciona primordialmente como un instrumento para inspirar a los adolescentes a participar en la misión de la Iglesia y la vida parroquial. Esto es ciertamente importante, pero no valida o resalta la presencia de la actividad de Dios fuera de este contexto. Tampoco sugiere o inspira desafíos para descubrir los temas salvíficos que ya existen en su vida diaria.

Al fondo de esta perspectiva unidireccional se encuentra la convicción predominante en la mayoría de los esfuerzos de pastoral con adolescentes: el potencial salvífico de los adolescentes se mide según su participación en la vida parroquial, la cual a su vez asume que existe una deficiencia de potencial salvífico en el contexto secular de la vida de estas personas. Al asumir esto, no es de sorprender la poca atención que se ha dado al desarrollo de estrategias, esfuerzos y consideraciones teológicas creativas diseñadas para descubrir los temas salvíficos y la fecundidad relacional que se manifiesta en la vida diaria de los adolescentes y jóvenes hispanos.

El nombrar dicha suposición puede ayudar a inspirar a los agentes pastorales a cambiar funcionalmente la trayectoria y el espacio de la actividad pastoral con adolescentes para que incluya la totalidad y las complejidades de la vida diaria, tal como lo propusieron las conclusiones del *Primer Encuentro Nacional de Pastoral Juvenil Hispana* (PENPJH):

> Llevar la Buena Nueva a los jóvenes implica actuar fuera del templo, del edificio parroquial y de las reuniones semanales; cambiar los asientos por zapatos... Hay que buscar a los jóvenes en sus casas, sus escuelas, sus trabajos, sus barrios, así como en los cines, bailes, campos... donde quiera que viven y se reúnen.[22]

Expandiendo la trayectoria y el espacio de la pastoral más allá de los edificios de nuestras iglesias, comenzamos a crear conciencia del potencial salvífico de los adolescentes que viven fuera de los límites de la vida parroquial. Al hacer esto, las comunidades de fe que sirven a los adolescentes hispanos, especialmente los más vulnerables, afirmarán lo cotidiano como un punto de partida viable, no como algo secundario, que conduce al descubrimiento de las dimensiones salvíficas activas en sus vidas diarias.

Estrategias para acompañar a los adolescentes hispanos vulnerables

Las siguientes estrategias funcionan como invitaciones para repensar la pastoral con adolescentes desde la esencia relacional de cada persona, sabiendo que *todos hemos sido creados para vivir en relación*.[23] Tal como dijimos anteriormente, esta realidad relacional ocurre en el contexto de la vida diaria. Es allí, en lo cotidiano, con sus luces y sus sombras, que experimentamos la salvación. La actividad pastoral con adolescentes hispanos vulnerables exige estar en relación con ellos en la particularidad de su vida diaria.[24]

Ver: Ver exige invertir tiempo y energía intencionalmente para comprender con profundidad la vida de los adolescentes. Cuando nos proponemos *ver* la vida de los adolescentes hispanos, queremos ver *quiénes son ellos*, lo cual implica entender su identidad (religiosa, cultural, relacional, género, la calle, etc.); *dónde están*, lo cual implica reconocer su espacio, realidades sociales, contexto económico y político, etc.; y *cómo están*, lo cual se centra en la manera como expresan y/o esconden su identidad, relacionalidad, espiritualidad, abatimiento, valores, aspiraciones, necesidades, etc.

Destacar: El teólogo Alejandro García-Rivera habla del acto de *destacar* como "el alzar parte del horizonte y luego darle valor, por lo tanto 'destacándolo'".[25] Al invertir en la vida diaria de los adolescentes hispanos, buscando la manera de darles voz y generar diálogo con ellos, los agentes pastorales destacamos las angustias, luchas y realidades ocultas que se esconden en las sombras de sus vidas. Al crear espacio para dar voz y/o reconocer lo que no se ha dicho, llevamos las cargas con ellos, como lo hizo Jesús con nosotros. Al hacer esto, con un gran cuidado, traemos estos sufrimientos a un espacio común, en donde la sanación y la transformación ocurren. Al invitar a los miembros de la comunidad a orar, y valiéndonos de los recursos comunitarios disponibles, todos podemos caminar con los adolescentes confrontando injusticias, procurando sanación y esperanza.

Descubrir temas salvíficos: Las experiencias e historias de los adolescentes hispanos vulnerables están llenas de temas salvíficos que revelan relaciones, desafíos que afectan esas relaciones y su búsqueda constante de sentido. Al darle voz a estas historias surgen temas salvíficos tales como la amistad, el perdón, la muerte, la iniciación, la corporeidad, el esparcimiento, la vida en las calles, la culpa, la violencia, la virgen, el caminar y la desesperanza, entre otros.[26] Tenemos que escuchar esas historias. Nuestra tarea pastoral con esta población exige que vayamos hacia ellos con un corazón abierto y creemos espacios para aprender de ellos.

Desarrollo de la identidad: En mi trabajo con adolescentes hispanos vulnerables me parece beneficioso comenzar con interrogantes simples, aunque con un carácter profundo: ¿Quién eres? ¿De dónde vienes? ¿Quién es Dios para ti? ¿Cuáles son tus sueños? Estos interrogantes inspiran conversaciones profundas que abarcan temas como el cruzar fronteras, dificultades de tener una identidad bicultural, tradiciones y valores tanto familiares como culturales, sueños a nivel de educación, familia y profesión. También sirven para compartir aflicciones, desafíos y necesidades.

Al facilitar diálogos sobre las maneras únicas de ser hispano, religioso y relacional, las identidades de los adolescentes hispanos se pueden desarrollar a medida que se expresan y son valoradas por familiares y miembros de la comunidad. Por supuesto, esto fortalece factores protectores a nivel familiar y comunal que benefician a los adolescentes hispanos, ayudándoles en su proceso de adaptación. En general, al relacionarse con adolescentes hispanos en este nivel, la familia y la comunidad tienen la capacidad de acompañar y fomentar su crecimiento. Al sentirse más confidentes en cuanto a quiénes son, tenemos la habilidad de fortalecer el desarrollo de áreas fundamentales de su identidad que promuevan un sentido positivo y generador de sí mismos y de comunidad.

NOTAS DEL CAPÍTULO 3

1 Oficina del Censo de los Estados Unidos, Encuesta sobre la comunidad estadounidense (ACS por sus siglas en inglés), 2016 muestra de micro-datos para uso público.

2 Jens Manuel Krogstad, "5 Facts about Latinos and Education," *Pew Research Center,* 28 de julio del 2016, disponible en línea en http://www.pewresearch.org/fact-tank/2016/07/28/5-facts-about-latinos-and-education/.

3 Laura Kann, Tim McManus, William A. Harris, et. al., "Youth Risk Behavioral Surveillance – United States, 2017," Centros para el Control y la Prevención de Enfermedades, *Morbidity and Mortality Weekly Report,* vol. 67, no. 8, 15 de junio del 2018, 43-56, disponible en línea en https://www.cdc.gov/mmwr/volumes/67/ss/pdfs/ss6708a1-H.pdf.

4 Centro Nacional de Pandillas, "National Youth Gang Survey Analysis," (2011), disponible en línea en https://www.nationalgangcenter.gov/Survey-Analysis/Demographics#anchorregm.

5 Oficina del Censo de los Estados Unidos, *Encuesta sobre la comunidad estadounidense,* 2016 muestra de micro-datos para uso público.

6 Margarita Alegría, Glorisa Canino, et. al "Prevalence of Mental Illness in Immigrant and Non-Immigrant U.S. Latino Groups," *The American Journal of Psychiatry,* 165(3), (2008), 363, disponible en línea en http://ajp.psychiatryonline.org/doi/pdf/10.1176/appi.ajp.2007.07040704.

7 Stephanie R. Potochnick y Krista M. Perreira, "Depression and Anxiety among First-Generation Immigrant Latino Youth: Key Correlates and Implications for Future Research," *The Journal of Nervous and Mental Disease,* 198, 7 (julio 2010): 4-5, disponible en línea en http://www.ncbi.nlm.nih.gov/pmc/articles/PMC3139460/.

8 Ibid., 2.

9 Kann, McManus, Harris, et al., 23-27.

10 Centros para el Control y la Prevención de Enfermedades, "Preventing Suicide 2018," disponible en línea en https://www.cdc.gov/violenceprevention/pdf/suicide-factsheet.pdf.

11 Mental Health America, "Latino/Hispanic Communities and Mental Health," (2016), disponible en línea en http://www.mentalhealthamerica.net/issues/latino-hispanic-communities-and-mental-health.

12 Human Rights Campaign Foundation, "Supporting and Caring for our Latino LGBT Youth," (2012), 2, disponible en línea http://lulac.org/assets/pdfs/LGBT-LatinoYouthReport.pdf.

13 Ibid., 18.

14 Ibid., 27.

15 Ibid., 3.

16 Andrew Cray, Katie Miller y Laura E. Durso, "Seeking Shelter: The Experiences of Unmet Needs of LGBT Homeless Youth," *Center for American Progress* (septiembre 2013), 5, disponible en línea en https://www.americanprogress.org/wp-content/uploads/2013/09/LGBTHomelessYouth.pdf.

17 Ochenta y cinco por ciento de las personas hispanas jóvenes nacieron en los Estados Unidos según la Oficina del Censo de los Estados Unidos, Encuesta sobre la comunidad estadounidense, 2016 muestra de micro-datos para uso público.

18 La generación 1.5 son personas que migraron a una edad temprana y fueron criados en el país al que llegaron.

19 Gabriel P. Kuperminc, Natalie J. Wilkins, Cathy Roche, y Anabel Alvárez-Jiménez, "Chapter 13: Risk, Resilience, and Positive Development among Latino Youth," *Handbook of U.S. Latino Psychology: Developmental and Community-Based Perspectives,* editores Francisco A. Villarruel, Gustavo Carlo, et al. Los Angeles: Sage, 2009, 224.

20 USCCB, *Renovemos la visión: fundamentos para el ministerio con jóvenes católicos.* Washington, D.C.: USCCB, 1997, 8.

21 Ibid., 39-45.

22 National Catholic Network de Pastoral Juvenil Hispana–La RED, *Primer Encuentro Nacional de Pastoral Juvenil Hispana Conclusiones.* Washington, D.C: USCCB, 2008, 34.

23 Cf. Roberto S. Goizueta, *Caminemos Con Jesús: Hacia una teología del acompañamiento.* Miami, FL: Convivium Press, 1995, 2009, 103-106.

24 Propongo doce estrategias ministeriales basadas en un contexto relacional salvífico. Véase Vincent A. Olea, *But I Don't Speak Spanish: A Narrative Approach to Ministry with Today's Hispanic Young People.* New Jersey: Paulist Press, a publicarse en el año 2019.

25 Alejandro García-Rivera, *The Community of the Beautiful: A Theological Aesthetics.* Collegeville, MN: The Liturgical Press, 1999, 35.

26 Para examinar más de lleno los temas salvíficos de las personas hispanas jóvenes más allá de contextos religiosos, véase Vincent A. Olea, "Cariño-Fighting and the Somatic Nature of Salvation Between Generations," U.S. Hispanic Ministry.com, (2016) disponible en línea en https://ushm.atavist.com/carino-fighting.

4

Ministerio con jóvenes hispanos en la vida parroquial

Brett Hoover

No es fácil ser joven e hispano en una parroquia católica hoy en día. En un curso de teología pastoral y ministerio que enseñé recientemente a nivel de postgrado en el sur de California, casi que la mitad de los estudiantes—de los cuales el 45% eran hispanos—mostraron preocupación al reflexionar sobre el lugar actual de los jóvenes en la vida parroquial. Los líderes parroquiales y diocesanos por lo general comparten genuinamente esta misma preocupación, aunque muchos de ellos tienen un impulso nostálgico al compararla con lo que experimentaron en sus parroquias cuando eran más jóvenes.[1] Los jóvenes hispanos junto con sus líderes pastorales insistieron en el Primer Encuentro Nacional de Pastoral Juvenil Hispana (PENPJH) del año 2006 que necesitamos poner atención especial a la realidad pastoral y cultural de la población diversa de jóvenes hispanos, escuchar lo que ellos y quienes los conocen dicen sobre la vida parroquial.[2]

Para ello, en este capítulo tengo en cuenta los resultados de una encuesta de más de 550 líderes pastorales trabajando en la pastoral juvenil hispana a lo largo y ancho del país.[3] También examino tres entrevistas con agentes pastorales diocesanos que trabajan con jóvenes hispanos.[4] Describiré una visión eclesiológica para guiar las conversaciones sobre la pastoral juvenil hispana en parroquias, sugeriré algunos factores contextuales que definen este trabajo pastoral e identificaré el estado actual de estos esfuerzos en las parroquias.

Importante: no pretendo hablar como alguien con un profundo conocimiento personal de la pastoral juvenil hispana ni en nombre de los jóvenes hispanos. No puedo hacerlo. Mi propósito es ofrecer un testimonio que permite que las voces de las comunidades hispanas hablen por sí mismas con la certeza de que el Espíritu Santo se expresa por medio de ellas. Avanzo esta interpretación viva en medio de luces y sombras, reconociendo que esta práctica cristiana transformadora sostiene la fe y las vidas de los jóvenes hispanos en parroquias católicas por medio de la gracia, al igual que el obrar inadecuado que pide a Dios rectificación y nos hace responsables a quienes ejercemos cierto liderazgo en comunidades de fe.

Responsabilidades de la parroquia: una visión eclesiológica

Lo que hoy en día llamamos "parroquias", especialmente parroquias territoriales, tuvieron su origen en el Concilio de Trento. Por un lado, la estructura de la parroquia territorial invita a los agentes pastorales a pensar en todos los fieles cristianos en un lugar específico como aquellas personas por las cuales se es responsable. El derecho canónico afirma esta responsabilidad (*Código de Derecho Canónico*, c. 518), en ocasiones extendiéndola más allá de la comunidad cristiana (c. 528 §1). Por otro lado, el énfasis de la Iglesia en la territorialidad de la parroquia, en los años que siguieron al Concilio Trento, con frecuencia reduce a la parroquia simplemente a una unida geográfica en la cual se "ofrecen" los sacramentos a los fieles en capillas formalmente establecidas para ello. El Concilio Vaticano II buscó restaurar el sentido de la comunidad de fe local como *comunidad*. El derecho canónico ahora se refiere a la parroquia como "una determinada comunidad de fieles constituida de modo estable en la Iglesia particular" (c. 515 §1).

El Concilio Vaticano II hizo énfasis en la idea de comunión (*koinonia*) por medio de su eclesiología, la cual tiene el potencial de unir estas dos perspectivas sobre la parroquia. Basado en el concepto de relacionalidad y en la unidad-en-la-diversidad de la Trinidad, la categoría "comunión" enfatiza los lazos que el Espíritu Santo crea por medio del Bautismo en Cristo uniendo a los fieles al Dios Trinitario y a los fieles unos con otros. El concepto de comunión se resiste a limitar la idea de la parroquia a una mera congregación, es decir a una reunión voluntaria de personas que deciden agruparse. Todos los feligreses de todas las parroquias están entrelazadas y el obispo simboliza la unidad de ese lazo. El Papa Francisco afirma que "El obispo siempre debe fomentar la comunión misionera en su Iglesia diocesana siguiendo el ideal de las primeras comunidades cristianas, donde los creyentes tenían un solo corazón y una sola alma" (véase *Hechos de los Apóstoles* 4:32)".[5] Una eclesiología de comunión nos recuerda que quienes están más involucrados en la vida parroquial no son "más católicos" que los fieles cristianos a nivel local que llegan intermitentemente (o no llegan), sino que todos permanecemos unidos en una sola Iglesia en Cristo por el Espíritu Santo. Todos somos profundamente responsables de responder a nuestras necesidades comunes, humana y pastoralmente.

Una eclesiología de comunión también nos recuerda que el Espíritu Santo ha concedido carismas a todos los fieles por razón de su Bautismo, y estos carismas existen para el bien de todos.[6] La parroquia se convierte así en una especie de "concierto de carismas" llamado a la misión para el bien de todos. Los intérpretes latinos de la pastoral juvenil hispana en los Estados Unidos han descrito por bastante tiempo su ministerio como un proceso comunitario que discierne los carismas que la persona recibe y su vocación a vivir al servicio de la comunión y de la misión en el mundo. Estos expertos afirman que la parroquia—y otras comunidades de fe—es "el lugar donde el poder sanador de Jesús toca a los jóvenes, nos dice quiénes somos a sus ojos y nos da la fortaleza y la gracia para enfrentar los retos de la vida".[7] Cuando los jóvenes católicos no descubren sus carismas y vocación a la misión en el mundo, tenemos que aceptar con honestidad que las parroquias y las diócesis les han fallado.

Factores contextuales que influencian el servicio a los jóvenes hispanos hoy en día

Quienes interpretan las situaciones que definen las vidas de los jóvenes hispanos en las parroquias tenemos la responsabilidad de "leer los signos de los tiempos" (*Gaudium et Spes,* 4). Primero, tenemos que reconocer que en el mundo del catolicismo hispano la parroquia no es necesariamente el único lugar e incluso no es el espacio más importante en el que este grupo forja su identidad católica y recibe formación en la fe. Los teólogos hispanos por bastante tiempo han hecho énfasis en el papel crucial de la familia y la religiosidad popular como espacios seminales de formación e identidad para los católicos hispanos, espacios primarios para reflexionar sobre la vida y la praxis cristiana.

Aun así, los católicos en los Estados Unidos perciben la parroquia como un lugar influyente a nivel de estructura social mucho más que los católicos en América Latina.[8] La mayor parte de la actividad pastoral y litúrgica ocurre en las parroquias bajo la autoridad de un sacerdote que ejerce la función de párroco, no en santuarios, barrios u hogares. Con frecuencia la misma religiosidad popular se traslada a la parroquia.[9] De la misma manera, la pastoral juvenil hispana, aun cuando ocurre bajo los auspicios de un movimiento apostólico, la mayor parte del tiempo tiene lugar en la parroquia. La pastoral juvenil hispana ocurre en parroquias que son primordialmente hispanas, aunque también en comunidades distintamente hispanas que operan dentro de una parroquia compartida con otros grupos, usualmente católicos euroamericanos.[10]

En ambos casos las comunidades parroquiales hispanas funcionan como "espacios seguros" lejos de las exigencias y prejuicios de la cultura predominante, especialmente en el caso de los inmigrantes. Es importante observar que los jóvenes hispanos nacidos en los Estados Unidos que han experimentado instancias de discriminación o han visto que sus familiares las han experimentado también perciben a las parroquias hispanas como espacios seguros. Dicha percepción genera un sentido de desconfianza hacia las instituciones y comunidades de la cultura predominante. En muchos casos, iniciativas ministeriales como la pastoral juvenil hispana surgen porque los jóvenes hispanos no sienten que grupos juveniles "para todos" en la parroquia entienden adecuadamente o aprecian su experiencia. Estas iniciativas les permiten afirmar su cultura, su experiencia religiosa compartida e incluso su condición social.

Sin embargo, muchos líderes pastorales que no son hispanos (y también algunos hispanos) que insisten en prácticas asimilacionistas se sienten ofendidos cuando se presenta la opción de formar distintos grupos juveniles. Un líder parroquial expresó con orgullo, "nuestra parroquia es bendecida por tener *un* grupo juvenil. No separamos al grupo juvenil anglo del grupo juvenil hispano". Estos líderes quieren que los jóvenes hispanos se unan a los grupos juveniles euroamericanos, insistiendo que cualquier otra alternativa es "separatismo". Para estas personas es difícil reconocer la particularidad de la herencia cultural del catolicismo hispano. En ese contexto, los padres de familia hispanos y los jóvenes hispanos se pueden sentir realmente perdidos. Un director diocesano hispano resumió la preocupación de los padres hispanos: "ahora nos alejan de nuestros hijos. Tenemos muy poco, y ahora nos alejan de lo poco que tenemos". A pesar de ello, el sufrimiento y el sentido de pérdida no son reconocidos por parte de líderes con perspectivas asimilacionistas.

Hay factores socioeconómicos que también afectan cómo se hace la pastoral con adolescentes y jóvenes adultos hispanos en comparación con los grupos de las mismas edades en comunidades de la cultura predominante. Muchas parroquias que sirven a grupos católicos angloparlantes tienen una larga tradición de contratar a líderes pastorales profesionales para trabajar con sus adolescentes, mientras son voluntarios los que llevan a cabo y sostienen la mayoría de los esfuerzos de pastoral juvenil hispana.[11] Algunas parroquias compartidas tienen voluntarios y líderes contratados, lo cual a veces crea resentimiento. En una parroquia, un coordinador de pastoral juvenil voluntario tuvo que pagar por su propia cuenta todos los recursos que necesitaba para su ministerio mientras que el coordinador del grupo de jóvenes euroamericanos (el cual también sirve a algunos hispanos nacidos en los Estados Unidos), contratado a medio tiempo, tenía un presupuesto para asuntos similares. En los lugares más pobres, usualmente los más afectados por la recesión del año 2008, más jóvenes hispanos están involucrados en pandillas o corren el riesgo de estarlo, creando una necesidad pastoral completamente distinta entre estos jóvenes.

Un último factor que ha ejercido bastante influencia en las parroquias con una pastoral juvenil hispana es el escándalo de abuso sexual por parte de sacerdotes que irrumpió en el año 2002. El costo enorme de múltiples demandas llevó al despido de muchos líderes pastorales. Les ha tomado bastante tiempo a las parroquias—y las diócesis—que sirven explícitamente a los jóvenes hispanos recuperar ese personal. Sin embargo, mayor ha sido el impacto sobre la pastoral juvenil la implementación de normas rígidas para crear ambientes seguros, las cuales limitan la manera como los grupos juveniles hispanos se han organizado tradicionalmente. Los participantes en el *Primer Encuentro Nacional de Pastoral Juvenil Hispana* observaron lo siguiente:

> Desde 2002, varias diócesis han hecho esfuerzos para separar a los jóvenes en sus grupos juveniles parroquiales en dos grupos conforme a su edad: aquellos que son mayores y aquellos que son menores de 18 años. Sin embargo, la mayoría de las parroquias que participó en los encuentros diocesanos en 2005 y 2006 todavía estaba atendiendo a jóvenes de 16 años y mayores en un grupo juvenil parroquial único. Algunos grupos también incluyeron a adolescentes entre los 13 y los 15 años.[12]

En el año 2009, Ken Johnson-Mondragón observó que muchos grupos de pastoral juvenil no sabían de estas normas y que muchos líderes a nivel diocesano, exhibiendo sensibilidad pastoral, indicaban preferir no implementarlas.[13] Observaciones recientes sugieren que los esfuerzos pastorales con adolescentes y jóvenes adultos hispanos usualmente separan a estos grupos. Por lo general, para bien o para mal, un número cada vez mayor de líderes pastorales asumen que los adolescentes y los jóvenes adultos no deben estar juntos en el mismo grupo.[14]

Adolescentes y jóvenes adultos hispanos en la parroquia hoy en día

Sin lugar a duda son muchos los desafíos que las parroquias confrontan en sus esfuerzos de servicio a los adolescentes y jóvenes adultos. Al mismo tiempo, la mayoría de líderes reconocen que el desafío más grande es que los grupos y los ministerios de nuestras parroquias y diócesis todavía no están al servicio de la mayoría de jóvenes hispanos, a pesar de que la gran mayoría de jóvenes católicos son parte de esta población. Lamentablemente, demasiadas parroquias simplemente no ofrecen nada a los jóvenes hispanos. El Estudio nacional de parroquias católicas con ministerio hispano descubrió que solo cuatro de cada diez de esas parroquias tiene un programa formal para servir de manera explícita a los jóvenes hispanos.[15] Un líder pastoral en el sur del país observó que la existencia de este tipo de ministerio "realmente depende de la parroquia en la cual los jóvenes estén involucrados". Un párroco (o un obispo) que realmente apoye a los jóvenes hispanos hace una gran diferencia. Algunas parroquias hablan de servir a esta población, pero no invierten los recursos necesarios para trabajar con los jóvenes hispanos. Un coordinador de pastoral con adolescentes observó que, "la parroquia dice que la pastoral con adolescentes es importante, pero le adjudica el presupuesto más pequeño y tiene a alguien contratado solo 10 horas para este ministerio".

Aun cuando existen recursos y programas que responden a las sensibilidades culturales de la comunidad, muchos jóvenes hispanos no están interesados. Muchas personas tienen distintas opiniones sobre esta realidad, pero necesitamos más investigación para entender por qué. Algunos líderes pastorales ofrecen respuestas moralistas que simplemente culpan a los jóvenes asumiendo que son perezosos o demasiado secularizados o individualistas. Otros resaltan el hecho de que los jóvenes están ocupados con actividades escolares y otros eventos. Algunos hablan de aquellas investigaciones sobre jóvenes hispanos que afirman "no tener religión", pero no es muy claro lo que esto significa pues estos jóvenes son parte de una comunidad en la cual la fe y la cultura están interconectadas. Algunos líderes pastorales argumentan simplemente que el problema es la falta de actividad misionera, a pesar del llamado del Papa Francisco a acompañar a la gente más allá de los templos.

Sin embargo, sí hay muchas parroquias y movimientos apostólicos que tienen grupos y ministerios sirviendo a los adolescentes y a los jóvenes adultos hispanos. En esas parroquias cada vez es mayor el número de grupos de pastoral juvenil hispana que usan el idioma inglés y se enfocan en los jóvenes hispanos nacidos en los Estados Unidos, fomentando líderes de entre este grupo. Esto concuerda con los cambios demográficos que revelan una población de jóvenes hispanos que en su mayoría nacieron en este país. Es importante observar que las diferencias regionales son importantes, pues la mayoría de los grupos juveniles en el sur—en donde hay más personas que migraron recientemente—privilegian el uso del español.[16] A pesar de este cambio constante, la mayoría de líderes pastorales reconoce que los jóvenes hispanos nacidos en los Estados Unidos todavía siguen sin recibir la atención necesaria, quizás debido al gran número de ellos. Muchos grupos de pastoral juvenil hispana, especialmente aquellos asociados con movimientos pastorales, todavía atraen primordialmente a jóvenes inmigrantes. Es más, el tema del idioma parece ser más complejo de lo que parece. ¿Prefieren los jóvenes católicos hispanos usar el inglés o el español para hablar de su fe? Grupos que dicen servir a esta población principalmente en español o en inglés con frecuencia funcionan más o menos de manera bilingüe o usando *Spanglish* (una mezcla del inglés y el español), lo cual es quizás la manera más cómoda de comunicarse para muchos jóvenes hispanos.

Según las fuentes investigadas para este análisis, muchos adolescentes y jóvenes adultos hispanos no participan en ministerios organizados específicamente para jóvenes tales como la pastoral juvenil hispana, pero sí participan en la vida parroquial. Contrario a la comunidad euroamericana en la cual los adolescentes y los jóvenes adultos participan esporádicamente, muchos jóvenes hispanos sirven en ministerios litúrgicos en sus parroquias. Las representaciones asociadas con la religiosidad popular (ej., la procesión del viacrucis del Viernes Santo, las pastorelas al acercarse la Navidad y la dramatización de la historia de Nuestra Señora de Guadalupe) también atraen la participación de los jóvenes de tal manera que adolescentes y jóvenes adultos hispanos constituyen casi la mayoría de personas involucrados en ellas. Por supuesto, el espacio más común en el cual los adolescentes hispanos participan en el contexto de la parroquia es la formación en la fe o la catequesis, mucho más que en actividades explícitamente de pastoral juvenil hispana. Sin embargo, al igual que el resto de los adolescentes católicos, una vez que reciben los sacramentos, la mayoría no regresa para seguir su formación.

También vale la pena mencionar grandes eventos como los retiros diocesanos; los días juveniles con presentaciones, talleres y liturgias; la participación en el proceso del Quinto Encuentro y los mini cursos de formación para el liderazgo.

Miles de jóvenes católicos hispanos participan en el baile para jóvenes adultos en el Congreso de Educación Religiosa de Los Ángeles. Muchos de los movimientos apostólicos patrocinan retiros y cursos diocesanos. Los cursos y conferencias del Instituto Fe y Vida y del Instituto Pastoral del Sureste (SEPI, por sus siglas en inglés) constituyen una categoría especial.

Finalmente, unas cuantas diócesis y movimientos han lanzado iniciativas por medio del internet, plataformas de comunicación social y esfuerzos ministeriales usando video. Investigaciones recientes demuestran que los jóvenes hispanos usan los medios de comunicación social al mismo ritmo e incluso más que las personas jóvenes de otros grupos culturales.[17] Algunas parroquias y diócesis apoyan y sostienen ministerios que buscan llegar al gran número de personas que ya están involucradas o corren el riesgo de involucrarse en pandillas. Estos grupos de apoyo y organizaciones son más frecuentes a nivel diocesano que a nivel parroquial, en donde lamentablemente no son muy bien recibidas. Sin embargo, el mejor ejemplo de estos ministerios es el bien conocido esfuerzo llamado *Homeboy Industries*, el cual comenzó cuando un sacerdote jesuita en una parroquia en Los Ángeles, P. Gregory Boyle, SJ, se comprometió a buscarles trabajo (y esperanza) a jóvenes que habían sido miembros de pandillas y a otros que habían estado en la cárcel. Es preocupante que solo un número mínimo de parroquias y diócesis católicas han establecido esfuerzos ministeriales para servir a adolescentes y jóvenes adultos hispanos LGBT, a pesar de la visibilidad de los jóvenes en este grupo demográfico.

Un llamado a la responsabilidad

Nuestra eclesiología católica afirma con claridad la responsabilidad pastoral de las estructuras parroquiales y diocesanas hacia todos los bautizados. No obstante, los dones de los jóvenes hispanos con frecuencia no son cultivados, sus necesidades pastorales son poco reconocidas y sus voces prácticamente han sido silenciadas. La Iglesia como cuerpo sufre por ello. Solo podemos preguntarnos qué pudiéramos lograr si más de estas personas jóvenes, quienes son imagen y semejanza de Dios, se sintieran llamadas y potenciadas por otros católicos para participar de la misión de la Iglesia en nuestras comunidades de fe. Como dijo un director de pastoral con adolescentes y jóvenes adultos en una diócesis, "sabemos lo que se necesita... pero todavía no se ha hecho bien de verdad".

NOTAS DEL CAPÍTULO 4

1 Brett C. Hoover, "Memory and Ministry: Young Adult Nostalgia, Immigrant Amnesia," *New Theology Review*, 23, no. 1 (febrero 2010): 58-67.

2 National Catholic Network de Pastoral Juvenil Hispana—La RED, *Conclusiones: Primer Encuentro Nacional de Pastoral Juvenil Hispana*. Washington, D.C.: USCCB, 2008, 57.

3 La Encuesta se condujo en el año 2015 por parte de los organizadores del Coloquio nacional sobre ministerio con jóvenes hispanos que tuvo lugar en Boston College el año siguiente en colaboración con La RED Nacional Católica de Pastoral Juvenil Hispana—La RED.

4 Un coordinador/consultor euroamericano de ministerio con jóvenes y dos directores diocesanos de ministerio con jóvenes (Youth Ministry y Young Adult Ministry). Los tres trabajan en diócesis en el Occidente del país.

5 Papa Francisco, *Evangelii Gaudium*, n. 31.

6 Véase Kathleen Cahalan, *Introducing the Practice of Ministry*. Collegeville, MN: Liturgical Press, 2010, 24-47.

7 La RED, *Conclusiones: Primer Encuentro Nacional de Pastoral Juvenil Hispana*, 32.

8 Véase Allan Figueroa Deck, *The Second Wave: Hispanic Ministry and the Evangelization of Cultures*. New York: Paulist, 1989, 58.

9 Véase Brett C. Hoover, *The Shared Parish: Latinos, Anglos, and the Future of U.S. Catholicism*. New York: NYU Press, 2014, 87-93.

10 Según el Estudio nacional de parroquias católicas con ministerio hispano, el 43% de los feligreses en estas parroquias son anglos. Véase Hosffman Ospino, *El ministerio hispano en parroquias católicas: Reporte inicial de los resultados del Estudio nacional de parroquias católicas con ministerio hispano*. Huntington, IN: Our Sunday Visitor, 2015, 62.

11 Véase Ibid., 85.

12 La RED, *Conclusiones: Primer Encuentro Nacional de Pastoral Juvenil Hispana*, 23. Ver también, Carmen M. Cervantes y Ken Johnson-Mondragón, "Pastoral Juvenil Hispana, Youth Ministry, and Young Adult Ministry: An Updated Perspective on Three Different Pastoral Realities," *Perspectives on Hispanic Youth and Young Adult Ministry*, publicación 3, 2007, 1-4.

13 Ken Johnson-Mondragón, "El ministerio hispano y la pastoral juvenil hispana", en Hosffman Ospino, ed., *El ministerio hispano en el siglo XXI: presente y futuro*. Miami: Convivium, 2010, 333.

14 Véase Cervantes y Johnson-Mondragón, "Pastoral Juvenil, Youth Ministry, and Young Adult Ministry," 4.

15 Véase Ospino, *El ministerio hispano en parroquias católicas*, 85.

16 Ibid.

17 Véase Patricia Jiménez y James Caccamo, "El ministerio hispano, la tecnología digital y los nuevos medios de comunicación social", en Hosffman Ospino, Elsie Miranda y Brett Hoover, eds., *El ministerio hispano en el siglo XXI: asuntos urgentes*. Miami: Convivium, 2016, 264.

Cómo fomentar la participación de jóvenes hispanos en la Iglesia y la sociedad

Antonio Medina-Rivera

Es claro que en el siglo XXI los agentes pastorales católicos en los Estados Unidos reflexionamos con más intencionalidad sobre qué podemos hacer para responder mejor a las necesidades de los adolescentes y los jóvenes católicos hispanos. En medio de esta reflexión nos preguntamos cómo nuestro ministerio puede potenciar a la juventud hispana para que participe de manera más activa en la Iglesia y en la sociedad a la luz de su identidad "hispana" y "católica".

Este capítulo explora si los adolescentes y los jóvenes hispanos participan en la Iglesia y la sociedad, o no lo están haciendo, determinando el nivel y la naturaleza de esa participación. El capítulo se enfoca en las áreas en las que esta participación es evidente y en algunas prácticas ejemplares bien documentadas. También examina algunos de los grandes obstáculos que limitan esta participación.

No es posible responder a las necesidades de la juventud hispana sin poner atención al papel que la familia juega en sus vidas.

Todos compartimos la responsabilidad

En el año 2016, el Centro Pew Research observó que "los hispanos son el grupo racial o étnico más joven en los Estados Unidos. Cerca de una tercera parte de la población hispana, unos 17.9 millones, es menor de dieciocho años, y cerca de una cuarta parte de todos los hispanos, unos 14.6 millones, pertenecen a la categoría de los mileniales (entre los 18 y los 33 años en el año 2014)".[1] Estas estadísticas confirman un gran cambio demográfico tanto en nuestra sociedad como en nuestra Iglesia. Para la Iglesia, las cifras revelan un desafío más crítico puesto que los hispanos constituyen más del 40% de total de la población católica estadounidense.

Desde la perspectiva de grupos poblacionales de acuerdo a distintas edades, Ken Johnson-Mondragón observa que "los jóvenes latinos ya constituyen la mitad de los católicos menores de 18 años en los Estados Unidos, y el pueblo latino constituirá la mayoría de la población católica en menos de 40 años".[2] Distritos escolares como Los Ángeles y Miami hoy en día responden a los desafíos de educar una población que en su mayoría es hispana. En el caso especial de Texas,

> Los latinos ahora constituyen más del 50 por ciento de los estudiantes de las escuelas públicas de Texas... Estas cifras exigen que los distritos escolares en Texas se pregunten si están lo suficientemente

preparados para educar a un número creciente de estudiantes pobres que no hablan inglés. Hasta ahora, estudios hechos por organizaciones como *The National Council of La Raza, Texas Familias Council* y *Texas Higher Education Journal* indican que las escuelas de Texas no están haciendo una buena labor educando a los niños hispanos.[3]

Los católicos tenemos que estar atentos a estas realidades demográficas. La pobreza, la falta de oportunidades y representación, las diferencias lingüísticas y las dinámicas de aculturación son desafíos tanto sociales como eclesiales.

El cierre de oficinas que antes servían a los católicos hispanos, especialmente a los jóvenes, y la redistribución de recursos[4] revela la incapacidad de muchas estructuras católicas en los Estados Unidos para responder adecuadamente a las necesidades de la comunidad hispana. Muchos católicos todavía consideran a la población hispana como una "minoría" aislada y difícil de entender. No se trata de volver al pasado. Lo que necesitamos es una actitud renovada hacia los católicos hispanos a la luz de los cambios demográficos actuales. Necesitamos entender mucho mejor lo que significa ser Iglesia en los Estados Unidos hoy en día. Esto exigirá que toda oficina y toda iniciativa al servicio de la juventud hispana en parroquias, diócesis y a nivel nacional hagan del acompañamiento pastoral de los adolescentes y los jóvenes católicos una prioridad.

Participación en la Iglesia

Si la mayoría de los adolescentes y jóvenes católicos

estadounidenses son hispanos, una de las prioridades más urgentes para los obispos en las diócesis y las parroquias tiene que ser el acompañamiento pastoral de esta población, afirmando su papel protagónico y buscando maneras de retenerlos en una Iglesia que les da la bienvenida y les apoya. Una encuesta reciente de más de 550 agentes pastorales trabajando con adolescentes y jóvenes hispanos en el país[5] nos ofrece resultados importantes que nos ayudan en este análisis.

Una de las preguntas de la encuesta decía: "¿Qué centralidad tiene el ministerio pastoral entre los jóvenes católicos hispanos en tu grupo/parroquia/diócesis/ organización?". Las respuestas a esta pregunta variaron según la realidad de cada diócesis o iglesia local. Entre las respuestas positivas encontramos las siguientes:

1. Sumamente importante y yo diría que en estos momentos parte visiblemente vital de la "reconstrucción" de la pastoral juvenil en Miami. Cuando lamentablemente se cerró la oficina arquidiocesana para adolescentes en el año 2008, mientras muchos grupos anglos se desintegraron o si seguían, lo hacían debilitados en cuanto a la comunicación con el resto de otros grupos existentes, los hispanos, liderados por la pastoral juvenil hispana, siguieron adelantando el trabajo que la oficina en ese tiempo había estado haciendo. Perseverantes, continuaron uniendo a los grupos hispanos y creando oportunidades para que todos siguieran activos y conectados. Conscientes de lo que significa ser Iglesia, han

resultado ser nuestros colaboradores y amigos más clave en esta reconstrucción. No me cabe la menor duda de que sin ellos este recomienzo no hubiera sido el mismo y me llena de alegría tan solo pensar en que podemos contar con ellos sin titubear para juntos lograr lo mucho que Dios tiene para nosotros.[6]

2. Es muy importante. Es por eso que la diócesis creó mi posición. Para apoyar y ser un recurso para el obispo y las parroquias en el servicio de los adolescentes hispanos y las familias hispanas. Es por eso que me he comprometido a visitar a las parroquias de nuestra diócesis y conocer mejor sus logros y preguntarles cómo les puedo servir mejor.[7]

Estas, junto con la mayoría de respuestas a la pregunta, demuestran un gran optimismo. Las dos respuestas anteriores revelan dos realidades distintas. La respuesta n. 1 hace referencia al cierre o consolidación de la oficina de pastoral con adolescentes; la respuesta n. 2 habla de la apertura de una oficina.

La respuesta n. 1 es optimista en cuanto a reunir y organizar a los adolescentes y los jóvenes hispanos aún en momentos de crisis; la respuesta n. 2 revela que hay esperanza para crecer a nivel diocesano.

La respuesta n. 1 es típica de algunas de las diócesis más antiguas y más grandes en el país; la respuesta n. 2 ilustra la realidad de las diócesis pequeñas en los Estados Unidos que hasta hace poco no habían sido desafiadas o habían hecho poco para responder a los grandes números de católicos hispanos en sus territorios.

La respuesta n. 1 también refleja los efectos de la reestructuración que modeló la Conferencia de Obispos Católicos al cerrar la oficina que se enfocaba directamente en los católicos hispanos y la disminución de recursos para la pastoral en todas partes.

Sin embargo, un número de respuestas a la misma pregunta revela cierta preocupación. Por ejemplo:

- No es una prioridad, pero solo hemos trabajado en el ministerio hispano con cierta intencionalidad por pocos años. El ministerio hispano abarca todas las áreas "generales": sacramentos, educación religiosa de niños, etc. Sin embargo, todavía estamos expandiendo servicios y haciendo conexiones. Siento que esta área de la pastoral será una prioridad para nosotros como lo es el "sector anglo" de la parroquia. Pero no sé cómo ocurrirá esto. Teniendo en cuenta nuestro presupuesto, no podemos contratar [a] un(a) director(a) de ministerio hispano ni a una persona de tiempo completo para coordinar la pastoral de jóvenes.[8]

- Pienso que es muy importante, sin embargo no tenemos líderes bilingües que respondan a sus necesidades pastorales, y son muy pocos los líderes hispanos que pueden avanzar este ministerio.[9]

Estas dos respuestas revelan realidades preocupantes tales como la falta de apoyo, pocos recursos para el ministerio con adolescentes y jóvenes hispanos, y la sensación de que los hispanos son tratados como católicos de "segunda clase". Varias diócesis justifican el cierre o consolidación de oficinas ministeriales al servicio de los católicos hispanos aludiendo a la crisis financiera que afectó a las diócesis en la primera parte del siglo XXI, una crisis asociada especialmente con pagos hechos para responder a demandas por casos de abuso sexual por parte del clero y el desplome de la economía. Sin embargo, vale la pena preguntarnos por qué las oficinas que fueron más directamente afectadas por ambas crisis fueron precisamente aquellas que servían a los católicos hispanos—y a otros grupos minoritarios.

El trabajo pastoral con adolescentes hispanos en la Iglesia católica en los Estados Unidos no ha prosperado ni ha tenido la misma cobertura del trabajo pastoral con jóvenes hispanos. En general, los modelos y programas de servicio pastoral a los que tienen acceso los adolescentes hispanos son los mismos que se ofrecen al resto de la población católica, los cuales no siempre tienen en cuenta las diferencias lingüísticas y culturales de los hispanos. Para servir mejor a los adolescentes católicos hispanos, es importante tener en cuenta las categorías que Ken Johnson-Mondragón identificó hace varios años, las cuales se basan en los procesos de aculturación e integración en los Estados Unidos de esta población. Johnson-Mondragón habla de las necesidades diferenciadas de los sectores de la juventud hispana que son trabajadores inmigrantes, buscadores de identidad, integrantes de la cultura dominante, y pandilleros y jóvenes de alto riesgo.[10]

Muchas veces los programas predominantes de atención pastoral a los jóvenes—*youth ministry* y *young adult ministry*—son diseñados para responder a las sensibilidades de las familias de clase media y clase alta, enfocándose en los adolescentes que van a escuelas católicas. Por lo tanto, estos programas ignoran a los adolescentes hispanos cuya mayoría no son parte de esos círculos y solo unas cuantas están matriculadas en escuelas católicas. El resultado es que la mayoría de los esfuerzos pastorales dirigidos a los adolescentes hispanos se limitan a formación sacramental, especialmente programas de Confirmación.

Con frecuencia se asume en círculos pastorales que los adolescentes y jóvenes hispanos se asimilarán naturalmente—y sin resistencia alguna—a la cultura católica predominante, usualmente euroamericana, dejando atrás sus diferencias culturales y lingüísticas. La hipótesis es un tanto ingenua y revela lo poco que se entiende a este grupo. El que los adolescentes y jóvenes hispanos hablen inglés no significa que se hayan asimilado. Hay diferencias culturales, psicológicas y socioeconómicas que exigen que la pastoral con los adolescentes hispanos mantenga su particularidad:

> Hay muchos factores que pueden contribuir a estas disparidades [en términos de participación religiosa]. Estudios sobre temas psicológicos y socioculturales, corroborados por nuestra experiencia pastoral, muestran que, mientras todos los adolescentes viven los procesos de desarrollo asociados con

su edad, existen diferencias sociales y culturales significativas entre los latinos y compañeros y líderes pastorales no hispanos. Creemos que estas diferencias son factores decisivos que impiden que cientos de miles de adolescentes latinos participen en programas parroquiales para adolescentes, frecuentemente a pesar de los esfuerzos de sus padres [para que se involucren].[11]

Después de más de treinta años de experiencia trabajando con jóvenes hispanos en la Iglesia católica, creo que esta población es un gran signo de esperanza para la Iglesia. Sin embargo, los adolescentes y los jóvenes hispanos necesitan afirmación y acompañamiento de parte de los líderes eclesiales. Al viajar por el país, he observado que las parroquias con ministerios de pastoral juvenil hispana bien organizados son las comunidades más vivas y dinámicas. Varias organizaciones han hecho esfuerzos notables para apoyar a este ministerio, especialmente el Instituto Pastoral de Sureste y el Instituto Fe y Vida, las cuales han contribuido de gran manera con iniciativas de formación para el liderazgo. Sin embargo, sus esfuerzos muchas veces se limitan al trabajo con jóvenes inmigrantes de habla hispana que llegan con una buena experiencia pastoral de sus países de origen. Necesitamos hacer mucho más para servir, formar y acompañar a los jóvenes hispanos que nacieron en los Estados Unidos, los cuales por lo general hablan inglés.

En 1997 la Conferencia de Obispos Católicos de los Estados Unidos publicó un plan pastoral para acompañar pastoralmente a los jóvenes. Aunque el documento hace referencia a las diferencias culturales que caracterizan a este sector de la población católica, es importante notar que no reconoce con claridad el gran crecimiento de la población juvenil hispana y sus necesidades específicas. Es necesario que el documento se revise incorporando de manera explícita los interrogantes, realidades y necesidades de los católicos hispanos. Es más, siendo que más de la mitad de los católicos estadounidenses menores de 30 años son hispanos, sería natural y necesario que líderes hispanos reconocidos como expertos en esta área ministerial en la Iglesia guíen el equipo avanzando dicha revisión.

Participación en la sociedad

Comencemos esta sección preguntándonos: ¿qué tanto están los adolescentes y jóvenes hispanos involucrados en el mundo de la política y la construcción del bien común en nuestra sociedad? ¿Están conscientes ellos de la posible influencia que pueden tener en la sociedad y el gobierno? Las respuestas a estas preguntas con frecuencia dependen de las realidades que definen las vidas de los adolescentes y los jóvenes hispanos. Muchos jóvenes hispanos viven en el país alternativamente documentados. Muchos luchan a diario para sobrevivir en ambientes difíciles con poco tiempo y energía para involucrarse en esfuerzos de organización política o social.

Es urgente que las parroquias, diócesis y organizaciones católicas involucren a los hispanos que están mejor posicionados socialmente en el país, tanto a nivel educativo como a nivel económico, para que se mantengan conectados con la comunidad, den ejemplo y presten sus voces para abogar por temas importantes. Por ejemplo, en

Cleveland, OH, Esperanza, Inc.[12] invita a adultos y jóvenes hispanos a servir como tutores para las generaciones más jóvenes. Estudios que se han hecho en varias partes del país revelan que programas de tutoría tienen un impacto positivo en la experiencia de grupos minoritarios.

Sin lugar a duda, la educación jugará un papel muy importante en el proceso de incrementar y fortalecer la participación de los hispanos en la sociedad. Los niveles de educación entre los hispanos siguen siendo muy bajos, especialmente a nivel de educación universitaria. La Iglesia católica en los Estados Unidos, en medio de su compromiso renovado hacia los adolescentes y jóvenes hispanos, tiene que tratar la educación de esta población como una prioridad, incrementando el número de adolescentes hispanos en las escuelas católicas y abogando por una mejor educación pública para los hispanos. Aunque la educación religiosa dc los hispanos es importante, esta es parte de un todo más amplio. Los católicos necesitamos formar profesionales hispanos para tener una Iglesia y una sociedad más firmes.

Recomendaciones pastorales y conclusión

A la luz del análisis anterior, me permito ahora ofrecer una serie de recomendaciones para el trabajo pastoral con adolescentes y jóvenes hispanos. Estas recomendaciones son el fruto de mi propia experiencia ministerial, la investigación que he avanzado sobre este tema tan importante y varias conversaciones con agentes pastorales trabajando comprometidamente con adolescentes y jóvenes hispanos.

En nuestro trabajo con adolescentes católicos hispanos debemos...

Enseñarles prácticas de compromiso social y participación política tales como escribir cartas a líderes políticos, sociales y religiosos, participar en marchas y estudiar con atención las maneras cómo funciona el gobierno en sus distintos niveles, especialmente aprendiendo sobre la importancia de afirmar la voz y participación de las comunidades de fe.

Ofrecer formación apropiada a nivel parroquial, diocesano y nacional a adultos y jóvenes que tienen una vocación genuina para trabajar con adolescentes hispanos. Esta formación tiene que preparar a estos líderes pastorales para que desarrollen competencias interculturales.

Incrementar el número de catequistas hispanos certificados y catequistas que trabajen con adolescentes hispanos, especialmente en programas de Confirmación. Los programas de Confirmación son oportunidades efectivas para ayudar a los adolescentes a que se comprometan de manera dinámica en la Iglesia.

Involucrar a los padres de familia y a otros familiares en las iniciativas de pastoral con adolescentes. Una pastoral dinámica con adolescentes no es posible sin involucrar a las familias.

Incorporar programas de prevención como parte del trabajo pastoral con adolescentes, hablando sobre temas fundamentales que afectan sus vidas (ej., embarazo prematuro, violencia, efectos de la deserción escolar, pandillas, etc.) y educarlos lo más tempranamente posible. Muchos estudios enfatizan el impacto positivo que tienen programas efectivos que ofrecen tutores y actividades disponibles después de la jornada escolar.

Invertir en iniciativas que acojan a los adolescentes hispanos con intencionalidad en grupos, parroquias, movimientos apostólicos y organizaciones católicas. Asegurémonos de que estas iniciativas tienen en cuenta las necesidades psicológicas, emocionales y sociales de esta población.

Incrementar la presencia de estudiantes hispanos en las escuelas católicas. La educación católica no debe ser el privilegio de unos cuantos sino el derecho y la necesidad de todos nuestros hijos católicos.

En nuestro trabajo con jóvenes hispanos debemos...

Motivarles a identificar las causas sociales y políticas por las cuales están dispuestos a abogar públicamente, informarse apropiadamente sobre dichas causas, especialmente a la luz de la tradición cristiana, y ejercer sus responsabilidades ciudadanas trabajando por el bien común.

Apoyar y motivar a los jóvenes que ya participan activamente en la vida de la Iglesia a recibir formación para ser líderes efectivos para que ejerzan su liderazgo e inspiren a otros hispanos al igual que a jóvenes de otros grupos.

Distinguir entre las necesidades pastorales de los jóvenes inmigrantes y los que nacieron en los Estados Unidos o aquellos que ya se integraron en la cultura estadounidense, incluyendo a sus hijos.

Poner atención a las necesidades de preparación sacramental y la formación en la fe de los jóvenes católicos hispanos. Crear espacios en las iglesias, grupos y organizaciones católicas para que se sientan en casa.

Capacitar frecuentemente a los líderes pastorales—hispanos y de otros grupos culturales—para que integren modelos de acción pastoral que afirmen una pastoral de conjunto, respeten la diversidad y estén abiertos a los dones espirituales y talentos de los jóvenes católicos hispanos.

Establecer mecanismos e iniciativas dentro de las estructuras eclesiales para ayudar a los jóvenes hispanos a completar su educación formal.

Siempre y cuando haya juventud en nuestras comunidades habrá esperanza. Los adolescentes y los jóvenes hispanos son una gran fuente de esperanza para la Iglesia en los Estados Unidos. Su presencia nos llena de optimismo. Hagamos nuestra esta esperanza.

NOTAS DEL CAPÍTULO 5

1 Eileen Patten, "The Nation's Latino Population is Defined by Its Youth." Washington, D.C.: Pew Research Center, 20 de abril del 2016.

2 Ken Johnson-Mondragón, "El ministerio hispano y la pastoral juvenil hispana", en Hosffman Ospino, ed., *El ministerio hispano en el siglo XXI: presente y futuro.* Miami: Convivium Press, 2010, 320.

3 Tony Castro, "Hispanics Now Majority in Texas Public Schools, Districts Assess If They Are Ready for Change," *Huffpost Latino Voices,* 12 de febrero del 2013.

4 Véase Timothy Matovina, "El ministerio hispano y el catolicismo en los Estados Unidos", en Hosffman Ospino, ed., *El ministerio hispano en el siglo XXI: presente y futuro.* Miami: Convivium Press, 2010, 246-248.

5 La Encuesta se administró en el año 2015 por parte de los organizadores del Coloquio nacional sobre ministerio con jóvenes hispanos que tuvo lugar en Boston College el año siguiente en colaboración con La RED Nacional Católica de Pastoral Juvenil Hispana—La RED.

6 Esta respuesta es parte de los resultados de la encuesta, los cuales no han sido publicados previamente.

7 Esta respuesta es parte de los resultados de la encuesta, los cuales no han sido publicados previamente. Esta respuesta fue escrita en inglés. Traducción del editor.

8 Esta respuesta es parte de los resultados de la encuesta, los cuales no han sido publicados previamente.

9 Esta respuesta es parte de los resultados de la encuesta, los cuales no han sido publicados previamente.

10 Ken Johnson-Mondragón, "El ministerio hispano y la pastoral juvenil hispana", 329.

11 Ken Johnson-Mondragón y Carmen Cervantes, *Las dinámicas de cultura, fe y familia en la vida de los adolescentes hispanos y sus implicaciones para la pastoral con adolescentes.* Stockton, CA: Fe y Vida, 2008.

12 Esperanza Inc., disponible en línea en http://www.esperanzainc.org/

LA URGENCIA DE CULTIVAR LÍDERES CATÓLICOS HISPANOS JÓVENES

Susan Reynolds y Steffano Montano

E l futuro de la Iglesia católica en los Estados Unidos depende en gran parte de que los adolescentes hispanos asuman el compromiso de dar testimonio de su fe y de construir comunidades de fe vivas, ahora y mañana. Más de la mitad de todos los católicos menores de 18 años en los Estados Unidos son hispanos, y la población hispana constituirá la mayoría de todos los católicos estadounidenses dentro de 30 años.[1] Irónicamente, los adolescentes hispanos reciben menos atención ministerial que muchos otros grupos debido a la inhabilidad de muchos líderes pastorales parroquiales y diocesanos en el presente de entender y responder efectivamente a las realidades complejas de esta población. A esto hay que añadir el número limitado de sacerdotes, diáconos, religiosas, religiosos y líderes laicos hispanos disponibles para trabajar con estos adolescentes y dar testimonio de un ministerio alegre en la Iglesia.[2] Es fundamental que sirvamos y sostengamos a esta población, no solo para garantizar la vitalidad futura

203

de la Iglesia en nuestro país, sino también para afirmar la vida presente de estos adolescentes. Si la Iglesia quiere ser una presencia pastoral y amorosa trabajando en favor de la justicia, entonces tenemos que considerar seriamente las esperanzas y necesidades de este grupo.

Los adolescentes hispanos son un recurso invaluable. Sus vidas se desenvuelven entre varias culturas y como tal pueden ser voces muy importantes para una teología en conjunto. Como observa Ken Johnson-Mondragón, los adolescentes hispanos "al crecer entre dos culturas tendrán gran impacto en la vida de nuestra Iglesia, a medida que maduran como jóvenes y eventualmente toman su lugar entre nuestros líderes—o no lo hacen— según sea la calidad de formación en la fe y capacitación para el liderazgo que reciban".[3]

Este capítulo examina y evalúa el estado actual del liderazgo católico hispano en la Iglesia católica en los Estados Unidos. Tomando en serio las esperanzas, necesidades y desafíos de los jóvenes hispanos que exigen una respuesta pastoral más intencional de parte quienes ejercen liderazgo en la Iglesia, identificaremos algunas áreas que necesitan atención en la tarea urgente y desatendida de cultivar jóvenes católicos hispanos como líderes.

Evaluemos las posibilidades

Las parroquias católicas todavía constituyen el contexto más inmediato en el que los católicos ejercen su liderazgo pastoral dentro de las estructuras eclesiales. Veamos brevemente a algunas áreas de la vida parroquial que permiten identificar realidades y posibilidades actuales.

El clero

Aunque los hispanos constituyen más del 40% de la población católica estadounidense, aproximadamente el 8% de todos los sacerdotes católicos en el país se identifican como hispanos; el 76% de ellos nacieron fuera del país.[4] En el año 2018, el 20% de quienes fueron ordenados sacerdotes se identificaron como hispanos/latinos, una cifra que ha ido incrementando en los últimos años. Más de la mitad de estos nuevos sacerdotes nacieron fuera de los Estados Unidos, la mayoría provenientes de México y de Colombia.[5]

Diáconos permanentes

Cerca del 11% de los diáconos permanentes—aproximadamente 2.600—en los Estados Unidos son hispanos/latinos.[6] Hosffman Ospino observa que "los diáconos permanentes hispanos constituyen uno de los grupos de agentes pastorales en posiciones de liderazgo que más rápido crece en las parroquias con ministerio hispano".[7]

Ministros eclesiales laicos

A medida que el número de sacerdotes, religiosas y religiosos disminuye en los Estados Unidos, los ministros eclesiales laicos siguen asumiendo mayores responsabilidades pastorales y poco a poco su presencia se hace vital dentro del liderazgo eclesial. Los ministros eclesiales laicos incluyen a aquellas personas que trabajan profesionalmente en posiciones tales como directores de música litúrgica, directores de educación religiosa y directores de pastoral juvenil. Se estima que aproximadamente el 9% de los ministros eclesiales laicos son hispanos. Se espera que este porcentaje incremente en los próximos años, especialmente cuando sabemos que los hispanos "constituyen un poco más de la mitad (54%) del total de las personas matriculadas en programas de formación para el ministerio eclesial laico". Sin embargo, los hispanos están "matriculados de manera desproporcionada en programas que solo conceden certificados. Los hispanos/latinos constituyen el 13% de los estudiantes en un programa de formación para el ministerio eclesial que ofrece un título y el 70% de los estudiantes en programas de certificado".[8] Hablando de esta dinámica con relación a los programas de certificado, Ospino observa que "debemos reconocer que este nivel de formación pocas veces los prepara y casi nunca les otorga las credenciales necesarias para que los contraten para cargos de liderazgo pastoral en parroquias, diócesis y otras organizaciones".[9]

Ministros parroquiales voluntarios

Cabe observar que la mayoría de los agentes pastorales identificados como ministros eclesiales laicos son compensados por su trabajo. Sin embargo, muchos hispanos, tanto jóvenes como mayores sirviendo en posiciones de liderazgo reconocidas en sus parroquias, oficialmente y "de facto", lo hacen como voluntarios sin compensación alguna. El Estudio nacional de parroquias católicas con ministerio hispano indicó en el año 2014 que "aproximadamente uno de cada cinco líderes pastorales que sirven a católicos hispanos en posiciones ministeriales de alto nivel en parroquias y diócesis no son remunerados".[10] El mismo estudio reveló que entre los directores parroquiales de ministerio hispano—de los cuales el 64%

son hispanos—aproximadamente el 28% son voluntarios o simplemente personas que no reciben compensación. Entre los agentes pastorales que trabajan directamente con los jóvenes hispanos en parroquias con ministerio hispano—el 92% de estos líderes son hispanos—el 70% no reciben compensación.[11] Aún entre aquellos que reciben compensación, los salarios anuales son extremadamente bajos.[12] Esta información llama a la reflexión sobre qué entendemos por justicia, paridad salarial y compromiso pastoral en el contexto de las parroquias sirviendo poblaciones hispanas. El bajo nivel de compensación o la ausencia de compensación alguna que acompaña a muchas posiciones de liderazgo en el ministerio hispano representa una gran barrera para promover el liderazgo parroquial profesional entre los jóvenes hispanos.

Obstáculos que impiden que los jóvenes católicos hispanos ejerzan el liderazgo

Los jóvenes hispanos se enfrentan a una serie de obstáculos considerables que les impiden ejercer su liderazgo dentro de las estructuras eclesiales. Entre estos encontramos una larga tradición de abandono pastoral y racismo institucional, el cual existe pero no siempre es explícito; pocas oportunidades de capacitación para ejercer el liderazgo, formación ministerial y catequesis de buena calidad; bajos niveles académicos; estatus migratorio irregular;[13] y la adjudicación de muy pocos recursos a su disposición al igual que poco seguimiento institucional.[14]

Aparte de estos obstáculos, también hay que hablar de los niveles de acceso e involucramiento en ministerios y servicios parroquiales, los cuales sirven como punto de partida para el ejercicio de futuro liderazgo en la Iglesia. Según datos revelados por el Estudio Nacional sobre Adolescentes y Religión (NSYR, por sus siglas en inglés), los adolescentes católicos hispanos "practican más devociones religiosas a nivel personal y familiar, mientras que los adolescentes católicos blancos tienden a estar más involucrados en actividades parroquiales".[15] Al mismo tiempo, este estudio reveló niveles sorprendentemente muy bajos de participación parroquial entre los adolescentes hispanos, aun cuando el nivel de participación de sus padres es alto. Los datos indican que entre los hijos de los padres de familia que se identificaron como "comprometidos" con su tradición de fe, los hispanos tienen "menos de la mitad de probabilidad de asistir a la Misa semanal que los muchachos de raza blanca; una tercera parte de la probabilidad de participar en un grupo juvenil parroquial; una cuarta parte de la probabilidad de estar matriculados en una escuela católica; una quinta parte de la probabilidad de ejercer alguna forma de liderazgo en un grupo juvenil y una sexta parte o menos de la probabilidad de haber ido a un retiro o a un campamento de verano religioso".[16]

Las consecuencias de estas tendencias son claras. Ministerios, prácticas y espacios tales como la Misa, los grupos juveniles, las escuelas católicas, los retiros y los campamentos de verano religiosos pueden entenderse como lugares clave para promover el liderazgo entre los jóvenes católicos. Solo basta ver las experiencias de juventud de los sacerdotes católicos recién ordenados para ilustrar esta observación. Entre aquellos que fueron ordenados en los Estados Unidos en el año 2018, incluyendo todas las razas y etnicidades, el 47% fue a una escuela católica primaria y el 39% se educó en una universidad católica. Estos católicos también indicaron haber estado involucrados activamente en ministerios parroquiales como monaguillos (74%) y lectores (57%). Cerca del 35% dijo haber participado en un grupo de adolescentes parroquial, el 35% estuvo involucrado en programas de pastoral universitaria católica y el 38% fueron catequistas.[17]

Aunque esta información no sugiere una relación directa de causa-efecto entre la decisión de considerar el sacerdocio como vocación y estar matriculados en escuelas católicas o participar en la vida parroquial y actividades en grupos de adolescentes o jóvenes, es claro que estas experiencias jugaron un papel importante en las vidas de estos nuevos líderes eclesiales. Teniendo en cuenta esto, las estadísticas que revelan niveles bajos de participación en tales ministerios e instituciones por parte de los hispanos invita a la reflexión y nos desafía a preguntarnos hasta qué punto los jóvenes hispanos siguen marginados y olvidados en todo nivel cuando se trata de oportunidades para ejercer el liderazgo en la Iglesia, tanto como laicos, ordenados o consagrados.

¿Por qué es tan bajo la participación de los hispanos en actividades que promueven capacidades de liderazgo? Tal como observan Carmen Cervantes y Ken Johnson-Mondragón, "en las parroquias donde los hispanos son una minoría pequeña y el enfoque bicultural/multicultural no se promueve, muchos adolescentes latinos se sienten incómodos al participar o en una pastoral que expresa la fe de manera diferente o que está estructurada para responder a las necesidades religiosas y sociales de adolescentes con quienes ellos tienen muy poco en común".[18] En tales contextos, los adolescentes hispanos se sienten aislados y marginados al enfrentarse con profundas diferencias de idioma, cultura y clase social, tanto en su interacción con otros adolescentes como con líderes de la pastoral con adolescentes en la Iglesia.

El Estudio nacional de parroquias católicas con ministerio hispano reveló que "solo cuatro de diez parroquias con ministerio hispano tienen programas formales orientados específicamente hacia los jóvenes hispanos".[19] Aunque la mayoría de las parroquias con ministerio hispano tiene un líder de pastoral juvenil que sirve a todos los miembros de la parroquia, "solo el 26% de las parroquias reportan que tienen un agente pastoral dedicado principalmente con la juventud hispana".[20] Aproximadamente el 92% de aquellos que ejercen este servicio son hispanos, lo cual sugiere una capacidad particular para entender las necesidades y experiencias de los jóvenes hispanos. Sin embargo, el 70% son voluntarios sin compensación alguna y cerca de la mitad (45%) también están encargados de otro ministerio en la parroquia aparte de trabajar con los jóvenes hispanos.[21]

En general podemos observar la perpetuación de un ciclo vicioso. Los niveles en que los jóvenes hispanos se benefician de formación para ejercer el liderazgo en la Iglesia son demasiado bajos, especialmente en comparación a las oportunidades que tienen los jóvenes euroamericanos de raza blanca. Esta realidad crea condiciones de exclusión y marginación. La falta de acceso a estas oportunidades básicas para ejercer el liderazgo dentro de las comunidades parroquiales reduce sus oportunidades para servir como líderes en niveles más elevados de la vida eclesial.

Los jóvenes católicos hispanos comparten sus expectativas

Las conclusiones del *Primer Encuentro Nacional de Pastoral Juvenil Hispana* (PENPJH), el cual tuvo lugar en el año 2006, nos ofrecen un marco de referencia importante con relación a lo que los jóvenes hispanos identificaron como sus necesidades y grandes esperanzas para el ministerio y la formación para el liderazgo. Entre las necesidades que identificaron están las siguientes:

- Programas pastorales que respondan a las necesidades culturales de las familias y las comunidades, puesto que hay pocas de estas actividades disponibles.

- Agentes de pastoral capacitados que quieran "salir de sus escritorios para ir a donde estamos".

- Líderes que hablen el lenguaje de los jóvenes para servir como guías espirituales y consejeros.

- Apoyo económico, espacios para reunirse y materiales atractivos.

- Más esfuerzos para educar a los párrocos sobre la diversidad cultural.[22]

Los jóvenes hispanos sienten que las opciones ministeriales que están a su disposición actualmente no responden a sus necesidades. Las opciones ministeriales que se les ofrecen les piden que entren en espacios en los que no se sienten cómodos, los cuales no tienen en cuenta su posición y experiencia cultural.

Los jóvenes hispanos también esperan que los ministerios parroquiales les ayuden en su desarrollo personal. Las conclusiones del *Primer Encuentro Nacional de Pastoral Juvenil Hispana* hablan del deseo de los jóvenes hispanos de una Iglesia que les apoye en su formación para ser líderes tanto en la Iglesia como en la sociedad. Entre otros, los jóvenes hispanos afirmaron su deseo de apoyo en el desarrollo de habilidades y valores, consejo para educarse y formación para el liderazgo.[23] Como parte de ese deseo de formarse para ser líderes, los jóvenes hispanos buscan no solo una mejor catequesis y un mejor conocimiento de su fe para ser evangelizadores, sino también formación "como líderes, psicológica y sociológicamente, y en el área de las comunicaciones, en particular entre los jóvenes y sus papás".[24] En última instancia, los jóvenes hispanos buscan ser tratados con mayor igualdad. Buscan mayor inclusión en la Iglesia y la sociedad. Para ello buscan una Iglesia que les acompañe en su adolescencia y les prepare para confrontar los desafíos que son parte de ser líderes y adultos.

Los adolescentes hispanos quieren lo que ciertas investigaciones recientes indican es necesario para que florezcan: una identidad grupal firme que respete su experiencia bicultural, que les permita negociar con la cultura predominante, que les familiarice con esfuerzos diseñados para sobreponerse a los obstáculos, y que afirme sus logros.[25] Es más, entre las medidas de éxito en las vidas de los adolescentes hispanos se encuentran el desarrollo de habilidades y valores al igual que la promoción de sus identidades hispanas como una fortaleza a cultivarse.[26] Por consiguiente, hemos de preguntarnos: ¿usan nuestras prácticas pastorales con jóvenes hispanos estos criterios? ¿Generan dichas prácticas la clase de oportunidades para el liderazgo que nuestros jóvenes buscan?

Cuatro recomendaciones

Timothy Matovina observa que en el contexto hispano actual, "la prioridad que más consistentemente se ha articulado para fortalecer el ministerio hispano—desde el Primer Encuentro hasta las distintas afirmaciones de los obispos de los Estados Unidos—es la necesidad de una buena formación en la fe y la identificación y preparación de líderes: laicos, sacerdotes, religiosas y religiosos".[27] Aun así, a pesar de décadas de recomendaciones, se ha avanzado poco. La formación para el liderazgo sigue siendo un área con bastantes limitaciones en el ministerio hispano, especialmente cuando se trata de los jóvenes. Teniendo en cuenta las realidades actuales que afectan la promoción del liderazgo hispano en la Iglesia, los obstáculos que enfrentan los jóvenes hispanos para recibir formación y acceder a posiciones de liderazgo eclesial, y las necesidades que ellos mismos han identificado al igual que su deseo de prepararse para servir, proponemos las siguientes recomendaciones:

Potenciemos las nuevas voces hispanas. La información estudiada hasta ahora revela la necesidad urgente de cultivar líderes parroquiales que vengan de la misma comunidad hispana, los cuales puedan avanzar ministerios, programas y otras maneras de servir que respondan mejor a las necesidades y experiencias de los jóvenes hispanos:

La identificación de líderes de distintos grupos étnicos para que sirvan ministerialmente a su propia gente—y a otros—es una estrategia pastoral tan antigua como la misma Iglesia. Cuando los griegos en la primera comunidad cristiana en Jerusalén se quejaban de que no se trataba a sus viudas de la misma manera que a las viudas judías en el momento de distribuir alimentos, los doce apóstoles (de cultura hebrea) identificaron a siete hombres griegos para que asumieran liderazgo como diáconos encargados de supervisar la distribución diaria. Según el libro de los Hechos de los Apóstoles, después de esta decisión prudente "la Palabra de Dios se extendía cada vez más, el número de discípulos aumentaba considerablemente en Jerusalén" (*Hechos* 6:7).[28]

Tenemos que permitir con entusiasmo y confianza que voces nuevas y estilos nuevos de liderazgo florezcan; voces y estilos de liderazgo que pongan atención de manera crítica a las experiencias diarias y los espacios sociales de los jóvenes hispanos en nuestro día. Los jóvenes hispanos están posicionados de una manera única para servir como gente puente y facilitar conversaciones e interacciones entre los hispanos y otros católicos en nuestras parroquias, para mediar divisiones y diferencias a nivel generacional al igual que experiencias sociales y espirituales.

Fortalezcamos la relación entre la familia y la parroquia. Al reconocer el hogar—y la familia—como el lugar privilegiado en donde muchos jóvenes hispanos practican su espiritualidad, los programas pastorales necesitan hacer más para fortalecer la conexión entre la familia y la pastoral juvenil hispana/pastoral con adolescentes. Tales iniciativas tienen que buscar la manera de trabajar en colaboración con las familias y afirmar y promover las tradiciones personales y religiosas que un gran número de jóvenes hispanos ya practican. La relación simbiótica entre fe y cultura que caracteriza gran parte de la vida hispana desafía contundentemente a aquellos modelos de liderazgo eclesial en los Estados Unidos que tratan a la vida parroquial y a la vida familiar como dos realidades separadas e independientes. La ruptura de barreras que separan la vida de la Iglesia de la vida del hogar debe servir como modelo para todos los católicos en los Estados Unidos.

Reconozcamos el valor de modelos pastorales intergeneracionales. Quienes trabajamos con jóvenes hispanos estamos familiarizados con el modelo intergeneracional que promueve la pastoral juvenil hispana, cuya visión con frecuencia no siempre coincide con los modelos predominantes de *youth ministry* y *young adult ministry* en los Estados Unidos.[29] El navegar dicha disonancia ofrece un gran número de desafíos logísticos para avanzar el trabajo pastoral con adolescentes y con jóvenes adultos hispanos en contextos eclesiales multiculturales. Sin embargo, esfuerzos creativos de formación de jóvenes hispanos para el liderazgo deben considerar este modelo intergeneracional de pastoral juvenil como una gran herramienta. Los grupos intergeneracionales tienen una oportunidad única de fomentar iniciativas de acompañamiento y formación para el liderazgo que se fundamenten en relaciones de apoyo mutuo al igual que en redes sociales que valoran la contribución de las distintas generaciones y la familia.

Invitemos a jóvenes hispanos a involucrarse más allá del grupo juvenil. Otros grupos en la parroquia tales como los coros, comunidades de servicio y movimientos apostólicos sirven como espacios para formar a las nuevas generaciones. Estos grupos tienen la capacidad de promover participación a nivel eclesial y social. Invitar a los jóvenes hispanos a participar en la vida parroquial más allá de la pastoral con adolescentes exige que los agentes pastorales les vean no como "la iglesia de mañana" sino como "la iglesia de hoy"—¡lo cual ya es una realidad, teológica y sociológicamente!

Tal como sugieren las conclusiones del *Primer Encuentro Nacional de Pastoral Juvenil Hispana*, lo que limita a los jóvenes hispanos para que ejerzan su liderazgo en la Iglesia no es falta de intención sino de oportunidades, recursos y ministerios que valoren su particularidad cultural. Al tomar en serio las experiencias y necesidades de los jóvenes hispanos, tal como ellos mismos las han articulado, la Iglesia no solo responde a una necesidad pastoral urgente, sino que también asegura su propio futuro como una presencia viva y relevante en los Estados Unidos.

Notas del Capítulo 6

1 Ken Johnson-Mondragón, "El ministerio hispano y la pastoral juvenil hispana". en Hosffman Ospino, ed., *El ministerio hispano en el siglo XXI: presente y futuro.* Miami: Convivium Press, 2010, 320.

2 Ibid, 327-328.

3 Ibid, 320.

4 Reporte de la consulta del V Encuentro, disponible en línea en https://vencuentro.org/consultation-report/.

5 Véase Mary L. Gautier y Thu. T. Do, *The Class of 2018: Survey of Ordinands to the Priesthood: A Report to the Secretariat of Clergy, Consecrated Life and Vocations, United States Conference of Catholic Bishops.* Washington, D.C.: Center for Applied Research in the Apostolate, 2018, 12.

6 Reporte de la consulta del V Encuentro, disponible en línea en https://vencuentro.org/consultation-report/.

7 Hosffman Ospino, *El ministerio hispano en parroquias católicas: Reporte inicial de los resultados del Estudio nacional de parroquias católicas con ministerio hispano.* Huntington, IN: Our Sunday Visitor, 2015, 90.

8 *The CARA Report*, 23, 1 (Verano 2017), 11.

9 Ospino, *El ministerio hispano en parroquias católicas,* 79.

10 Ibid., 92.

11 Ibid., 71, 85.

12 Por ejemplo, entre los directores parroquiales de ministerio hispano, el salario promedio anual es de solo $24,078. Véase Ospino, *El ministerio hispano en parroquias católicas,* 71.

13 Debido a las normas estrictas de protección de menores, muchas personas indocumentadas no pueden pasar por los sistemas establecidos para demostrar que no tienen récord criminal, por lo tanto no pueden acompañar pastoralmente a personas jóvenes en contextos eclesiales.

14 Estos desafíos son parte de diez factores que Carmen M. Cervantes y Ken Johnson-Mondragón dicen que hay que tener en cuenta en la Iglesia para compartir la fe de manera efectiva a los adolescentes hispanos en los Estados Unidos. Ver Cervantes y Johnson-Mondragón, "Passing the Faith to Latino/a Catholic Teens in the U.S.," en Johnson-Mondragón, ed., *Pathways of Hope and Faith among Hispanic Teens: Pastoral Reflections and Strategies Inspired by the National Study of Youth and Religion.* Stockton, CA: Instituto Fe Y Vida, 2007, 325-345.

15 Ken Johnson-Mondragón, "El ministerio hispano y la pastoral juvenil hispana", 326. Para obtener más detalles, véase Johnson-Mondragón, ed., *Pathways of Hope and Faith Among Hispanic Teens,* 97-100, 324.

16 Johnson-Mondragón, ed., *Pathways of Hope and Faith Among Hispanic Teens,* 100.

17 Véase Gautier y Do, *The Class of 2018,* 36-37.

18 Carmen M. Cervantes y Ken Johnson-Mondragón, *Pastoral Juvenil Hispana, Youth Ministry y Young Adult Ministry.* Stockton, CA: Instituto Fe Y Vida, 2007, 5.

19 Ospino, El ministerio hispano en parroquias católicas, 85. Es interesante que el estudio compara los resultados publicados en el año 2014 con la información que se recibió de los representantes de los grupos juveniles parroquiales hispanos que participaron en el Primer Encuentro Nacional de Pastoral Juvenil Hispana, y observó que las parroquias que ofrecen ministerios para los jóvenes hispanos cada vez más lo hacen de manera bilingüe.

20 Ibid.

21 Ibid.

22 National Catholic Network de Pastoral Juvenil Hispana–La RED, *Primer Encuentro Nacional de Pastoral Juvenil Hispana: Conclusiones*. Washington, D.C.: USCCB, 2008, 48.

23 Ibid.

24 Ibid, 51.

25 Inna Altschul et. al., "Racial-Ethnic Self-Schemas and Segmented Assimilation: Identity and the Academic Achievement of Hispanic Youth," *Social Psychology Quarterly,* 71, 3 (2008): 315-316, 318.

26 Melissa Alvarado y Richard J. Ricard, "Developmental Assets and Ethnic Identity as Predictors of Thriving in Hispanic Adolescents," *Hispanic Journal of Behavioral Sciences,* 35, 4 (2013): 518-519.

27 Timothy Matovina, *Latino Catholicism: Transformation in America's Largest Church*. Princeton, NJ: Princeton University Press, 2012, 135.

28 Matovina, *Latino Catholicism,* 134.

29 Véase Cervantes y Mondragón, "Pastoral Juvenil Hispana, Youth Ministry, and Young Adult Ministry," 4.

7

UN MODELO DE "COMUNIDAD DE COMUNIDADES" PARA LA PASTORAL CON ADOLESCENTES[1]

Ken Johnson-Mondragón y Ed Lozano

C on la publicación del libro *Soul Searching* en el año 2015,[2] el cual surgió como resultado del Estudio Nacional sobre Adolescentes y Religión (NSYR, por sus siglas en inglés), fue posible medir científicamente por primera vez los efectos de la pastoral con adolescentes católicos ("*youth ministry*" en inglés). Muchos párrocos y agentes de *youth ministry* estaban desconcertados al descubrir que solo el 24% de los adolescentes católicos estaban involucrados en grupos parroquiales, mucho menos que el promedio de 52% entre los adolescentes protestantes y un 72% en las comunidades mormonas.[3] No cabe duda que la renovación del campo de *youth ministry* en los últimos 40 años ha producido un rico ecosistema de líderes parroquiales de *youth ministry* y catequistas, programas de formación, recursos prácticos, programas de Confirmación, servicios de apoyo, movimientos eclesiales y animadores dinámicos que hacen presentaciones en eventos diocesanos, regionales y nacionales (ver el diagrama 1). Sin embargo, necesitamos preguntarnos si a pesar de tantos componentes que son parte de nuestros programas, podemos en verdad decir que nuestros esfuerzos y métodos son lo suficientemente "integrales e inclusivos" cuando sabemos que no involucran al 76% de nuestros adolescentes católicos.

Diagrama 1: Ecosistema de ministerio con jóvenes católicos

Llamado a atender a 4.2 millones de adolescentes en edad de preparatoria, de los cuales 2.2 millones son latinos

75 Organizaciones católicas que atienden a los adolescentes, cuentan con más de 200 personas en equipo

En cierto sentido, el nivel bajo de participación entre los adolescentes católicos no debe sorprendernos. En el año 2017 había 17,156 parroquias en los Estados Unidos,[4] llamadas a servir a aproximadamente 3.7 millones de adolescentes en edad de educación secundaria que se identificaban como católicos.[5] Esto significa que la parroquia *promedio* tiene unos 215 adolescentes viviendo en su territorio. En California las parroquias son mucho más grandes, las cuales están llamadas a servir en promedio a unos 1.000 estudiantes de preparatoria y las parroquias más grandes tienen hasta 3.000 adolescentes católicos. Sin embargo, la mayoría de los líderes de *youth ministry* se conforman cuando involucran entre 50 y 80 estudiantes de preparatoria al año. Dicho de otra manera, pocas parroquias estructuran su *youth ministry* de tal manera que pudieran involucrar al menos a la mitad de sus feligreses adolescentes.

El modelo "comunidad de comunidades"

Es aquí que el modelo "comunidad de comunidades" con el tiempo puede ampliar el efecto de la pastoral con adolescentes en la parroquia. El Papa Juan Pablo II afirmó que percibir la parroquia como comunidad de comunidades y movimientos, "permitirá vivir más intensamente la comunión... En este contexto humano será también más fácil escuchar la Palabra de Dios, para reflexionar a su luz sobre los diversos problemas humanos y madurar opciones responsables inspiradas en el amor universal de Cristo".[6] Igualmente, el *Primer Encuentro Nacional de Pastoral Juvenil Hispana (PENPJH)* observó que es inadecuado tratar de reunir una comunidad de adolescentes grande y diversa en un solo grupo juvenil:

> El liderazgo de la pastoral juvenil, el ministerio hispano y el *youth and young adult ministry* está cada vez más consciente de que los programas y actividades propios para la cultura dominante no favorecen la participación de adolescentes y jóvenes hispanos, aunque hablen inglés. Esto sucede debido a las diferencias económicas, culturales, educacionales, geográficas y lingüísticas, especialmente cuando la pastoral en la parroquia se limita a un solo grupo juvenil.[7]

En un modelo de comunidad de comunidades, la persona que coordina la pastoral con adolescentes en la parroquia, contratada o voluntaria, guía a un equipo timón formado por coordinadores adultos y líderes jóvenes clave que acompañan a cada uno de los ministerios juveniles o pequeñas comunidades. Este modelo ayuda bastante en comunidades juveniles que son lingüísticamente diversas, pues les permite que los adolescentes se reúnan con sus compañeros de edad que hablan el mismo idioma y tienen una experiencia sociocultural similar. Es decir, el modelo reduce las barreras sociales de participación en el *youth ministry* de la parroquia en el caso de adolescentes que se sientan por alguna razón diferentes, aislados o marginados. Al mismo tiempo, el modelo permite opciones múltiples para que los adolescentes se involucren en la parroquia durante la semana, lo cual beneficia a las familias y a los estudiantes con muchas actividades.

En este modelo las responsabilidades de la persona que coordina la pastoral con adolescentes y el equipo timón son las siguientes: planear las actividades pastorales para toda la comunidad juvenil; mantener la visión del *youth ministry* en todos los programas, ministerios y eventos; ofrecer capacitación de líderes y acceso a la formación de coordinadores y equipos de líderes adultos y adolescentes; y colaborar de vez en cuando en eventos y actividades para toda la comunidad juvenil parroquial. La persona que coordina la pastoral con adolescentes de hecho también puede servir como coordinadora de una o más de las pequeñas comunidades o ministerios, especialmente cuando el modelo de comunidad de comunidades se está implementando. Al cabo del tiempo, la persona que coordina debe delegar los ministerios establecidos a coordinadores voluntarios para así comenzar nuevos ministerios que respondan a las necesidades pastorales.

El diagrama 2 ilustra este concepto con el equipo timón al centro y los distintos grupos y comunidades alrededor, algunos más diversos culturalmente que otros dependiendo del idioma y las necesidades pastorales a las que se les esté prestando atención en cada comunidad. Es importante notar que los varios ministerios y programas no estén aislados con relación a los demás. Más bien, todos deben compartir una visión, una misión y un plan pastoral en común. Además, las comunidades se relacionan y se colaboran mutuamente cuando tienen la oportunidad, sirviendo así como instrumento para que los adolescentes vivan como discípulos de Jesucristo, creciendo en su madurez cristiana y participando en la vida, misión y tarea de la parroquia, la cual es una comunidad eucarística de comunidades.

Diagrama 2: Pastoral juvenil en una comunidad de comunidades

El ejemplo de la parroquia católica St. Matthew en Arlington, Texas

En el año 1996, Ed Lozano era un catequista voluntario en el programa de Confirmación de su parroquia en Arlington, Texas, en la cual la mayoría de los feligreses son hispanos. Enseñaba a un grupo de 12 estudiantes de preparatoria. No tenía presupuesto alguno. Más o menos medio año después de comenzar las clases, los adolescentes en su grupo comenzaron a pedir más, indicando que querían un grupo juvenil para seguir después de la Confirmación. Ed contactó a la oficina diocesana de *youth ministry* en Fort Worth y cuando comenzó el siguiente año ya había recibido una certificación básica en *youth ministry*. Inmediatamente, Ed descubrió el gran potencial de un modelo que incluyera los ocho componentes del *youth ministry* católico[8] y comenzó a incorporarlos en su trabajo con adolescentes.

El año siguiente Ed entregó al párroco una propuesta con un presupuesto de $16.000 para implementar un modelo integral de *youth ministry*. De camino hacia una reunión con el comité financiero parroquial, el párroco llamó a Ed y le preguntó: "¿sabes que estás pidiendo un incremento del 800% a la cantidad que dedicamos normalmente al trabajo con adolescentes?" Ed respondió, "Padre, usted le ha adjudicado $2.000 dentro del presupuesto durante los últimos ocho años y ni siquiera los ha usado. Técnicamente le estoy pidiendo un reembolso". La petición fue aprobada. Una vez fue contratado en el año 1998, lo primero que Ed hizo fue pedir a la oficina parroquial una copia de la lista de todos los adolescentes registrados en la parroquia entre los 12 y los 18 años. Había cerca de 1.500 jóvenes.

Desde un inicio Ed sabía que la oración y la liturgia serían la clave para tener éxito en su ministerio. Así que aparte de las experiencias musicales y de oración que incorporaba en sus reuniones regulares, Ed organizó un servicio de la Palabra para el Miércoles de Ceniza, dirigido completamente por jóvenes adolescentes. También comenzó un retiro para adolescentes durante el Triduo con el propósito de involucrarlos en una experiencia del Misterio Pascual que conectara con sus vidas. La parroquia sigue ofreciendo ambos eventos hasta el día de hoy y son inmensamente bien recibidos por los adolescentes.

Igualmente, la formación de líderes ha jugado un papel clave en el éxito de la parroquia de St. Matthew. En el año 2000 un grupo de adolescentes de la parroquia participaron en el programa *YouthLeader* que ofrece el Center for Ministry Development[9] y comenzaron a ejercer su liderazgo con otros adolescentes de distintas maneras. Varios padres de familia y otros adultos también se capacitaron para participar en el ministerio. El modelo de comunidad de comunidades no funciona si la parroquia simplemente asume que la persona contratada para coordinar la pastoral juvenil tiene que hacerlo todo y serlo todo para los adolescentes. Es solo cuando la parroquia entera asume la responsabilidad por este ministerio que es posible incrementar el número de programas según su potencial.

El *youth ministry* en la parroquia de St. Matthew comenzó con iniciativas de preparación pre-sacramental. Una manera amplia de entender la catequesis y la formación en la fe se mantiene al centro del trabajo que se hace en esta comunidad. Hoy en día la parroquia de St. Matthew prepara para la Primera Comunión a cerca de 200 niños y adolescentes de sexto a octavo grado que no recibieron catequesis más temprano. Están distribuidos en grupos de cerca de 15 personas con dos catequistas adultos asignados a cada grupo. Al final de las sesiones semanales los sábados, todos se reúnen en un grupo grande para orar y celebrar ritualmente la experiencia a la luz del tema catequético de la semana. Unas 50 personas más de las mismas edades y unos 60 adolescentes de grado noveno también reciben formación en la fe cada semana, aunque no se están preparando para recibir ningún sacramento en particular.

Dado que la parroquia de St. Matthew ofrece varias oportunidades para la formación en la fe en cada grado escolar, una buena parte de los 150 estudiantes de preparatoria que participan en las clases de Confirmación (grado décimo) llegan con un conocimiento básico o un poco más avanzado de la fe y con el deseo honesto de crecer en su relación con Jesucristo y su Iglesia. Esto ha cambiado radicalmente el espíritu y la cultura de las clases de Confirmación, motivando a los adolescentes a tomar la iniciativa para evangelizar a sus compañeros. Las familias de muchos de estos estudiantes no llegan a la iglesia regularmente. Para complementar las clases de Confirmación, la parroquia ofrece formación en la fe a los padres de familia por medio de cuatro sesiones. Convivencias mensuales crean la oportunidad para que las familias formen comunidad y compartan consejos para la crianza de sus hijos adolescentes.

Hacia el año 2000 Ed comenzó a formarse alternando entre el Centro Cultural Mexico Americano (ahora es el *Mexican American Catholic College*[10]) y el Programa Nacional de Liderazgo Católico que ofrece anualmente el Instituto Fe y Vida.[11] Él reconoció la necesidad de fortalecer su vocabulario pastoral en español y mejorar la manera de llegar a los jóvenes, especialmente a los inmigrantes. Estos programas de capacitación le ayudaron a hacer esto. Desde 1998 Ed aconseja a un grupo de jóvenes adultos llamado *Juntos con Jesús*. El grupo sigue en existencia con cerca de 50 a 60 miembros, muchos de los cuales también participaron en los programas de formación del Instituto Fe y Vida, el cual les ofrece recursos para fortalecer su liderazgo en este ministerio y con personas de su edad.

En el año 2002 la diócesis invitó St. Mary's Press a dar una presentación sobre una nueva iniciativa llamada *Youth*

Engaging Scripture (jóvenes leyendo las Escrituras).[12] Ed participó en la capacitación y descubrió que implementar la *lectio divina* en forma de reflexiones semanales sobre las lecturas del domingo podría mejorar la formación en la fe, la oración y la participación en la liturgia entre los adolescentes mientras iban formando comunidad. Más o menos durante esta época Ed observó que había algunos adolescentes esperando a sus papás en los pasillos de la parroquia los días jueves durante el grupo de oración, el cual reúne unos 300 adultos de habla hispana. Así que comenzó con ellos un grupo de estudio bíblico, el cual se convirtió en cuatro grupos de niños y adolescentes bilingües de *junior high* y un par de grupos de estudiantes de preparatoria (la mayoría en grado noveno). Cada grupo tiene aproximadamente 15 participantes.

En el año 2004 un grupo de madres de familia que habían inmigrado recientemente se acercó a Ed para decirle que sus hijos no estaban avanzando apropiadamente en la escuela. Él comenzó a ayudarles como mentor y notó que las calificaciones de los muchachos mejoraban y su interés por la vida académica incrementaba. Ed reconoció la necesidad de abogar más por las familias en el sistema de educación pública, especialmente cuando los padres de familia no hablan inglés. También vio la necesidad constante de mentores, así que contactó a un ministerio de la iglesia metodista llamado Hope Tutoring[13] y les pidió que abrieran una sucursal en la parroquia de St. Matthew. Así lo hicieron y este programa de mentores es ahora parte del acompañamiento pastoral de la parroquia. Algunos de los adolescentes de la comunidad parroquial sirven como mentores ayudando a los estudiantes más jóvenes como parte de su servicio.

Por muchos años, el programa parroquial de quinceañeras consistía en algunas sesiones de dos horas de formación en la fe, las cuales eran guiadas por uno de los diáconos y su esposa. Hacia el año 2005 Ed incorporaba en su ministerio un modelo de fomentar fortalezas (*asset-building approach*, en inglés)[14] y vio que era una oportunidad para enriquecer la preparación de las muchachas que celebrarían sus quince años y a sus familias con una estrategia integral que complementara los elementos de formación en la fe. Hoy en día el programa consiste en cinco sesiones de cuatro horas para las muchachas y sus padres. Las quinceañeras reciben capacitación para sobrellevar con éxito la adolescencia. Los padres de familia reciben herramientas para mejorar la relación con sus hijas y guiarlas en sus años de adolescencia. Un equipo de jóvenes latinas mayores de edad que han pasado por el programa ahora son las que hacen las presentaciones en este ministerio.

Se pudiera escribir mucho más sobre la integración de los ocho componentes en el ministerio de la parroquia de St. Matthew, pero lo mencionado es suficiente para dar una idea del modelo y los procesos que han permitido que la pastoral con adolescentes florezca allí. Durante el año escolar 2012-2013 Ed estimaba que la parroquia de St. Matthew servía a más de 900 jóvenes, con unos 110 voluntarios adultos y más de 100 adolescentes contribuyendo a más de 20 programas y más de 50 grupos o clases en todos los ministerios juveniles. Él describe este sistema como una pastoral integral que usa todos los componentes para llegar a toda la comunidad juvenil de la parroquia, con muchas opciones para que los adolescentes y jóvenes se conecten y encuentren su lugar. La parroquia ahora tiene un presupuesto para una persona contratada tiempo completo trabajando en la pastoral juvenil, una persona asistiendo medio tiempo y una persona apoyando administrativamente medio tiempo. Es claro que este ministerio no prosperó de la noche a la mañana, pero es un ejemplo maravilloso de lo que es posible cuando se implementa una visión integral para la pastoral juvenil con un modelo de comunidad de comunidades. El diagrama 3 ofrece un organigrama actual de la pastoral con adolescentes en la parroquia de St. Matthew, con el número de grupos, clases o eventos en paréntesis en algunos casos.

Diagrama 3: Programación de pastoral con adolescentes en la parroquia católica St. Matthew

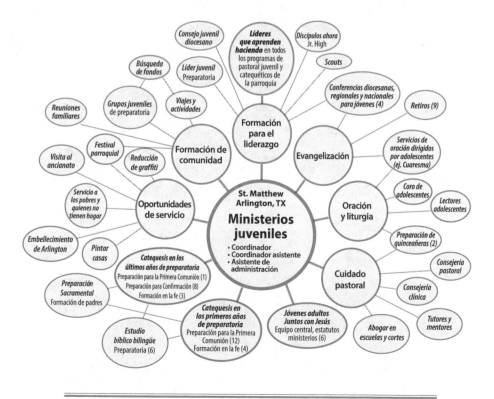

NOTAS DEL CAPÍTULO 7

1 Este artículo fue publicado originalmente en la edición de la primavera en el 2013 (volumen 7.1) de *Lifelong Faith: The Theory and Practice of Lifelong Faith Formation*. Algunas estadísticas y enlaces electrónicos han sido actualizados. El artículo se imprime en su totalidad en esta colección, con el permiso del Instituto Fe y Vida, el cual retiene los derechos de su contenido, como parte de los ensayos preparados para el coloquio del año 2016.

2 Christian Smith with Melinda Lundquist Denton, *Soul Searching: The Religious and Spiritual Lives of American Teenagers*. New York: Oxford University Press, 2005.

3 Ibid., 51.

4 Center for Applied Research in the Apostolate (CARA), http://cara.georgetown.edu/frequently-requested-church-statistics/.

5 Ken Johnson-Mondragón, coordinador del equipo de investigación del V Encuentro, estimados de la población católica en el año 2017. Información no publicada anteriormente.

6 Papa Juan Pablo II, *Exhortación Apostólica Ecclesia in America*, n. 41.

7 National Catholic Network de Pastoral Juvenil Hispana–La RED, *Conclusiones: Primer Encuentro Nacional de Pastoral Juvenil Hispana*. Washington, DC: USCCB Publishing, 2008, 32-33.

8 United States Conference of Catholic Bishops, *Renewing the Vision: A Framework for Catholic Youth Ministry*. Washington, DC: USCCB, 1997, 26-47.

9 Véase https://www.cmdnet.org/youthleader.

10 Véase http://www.maccsa.org.

11 Véase http://www.feyvida.org/programs/leadership-program.

12 Dennis Kurtz, *Youth Engaging Scripture: Diving into the Sunday Gospels*. Winona, MN: Saint Mary's Press, 2007.

13 Véase http://www.hopetutoring.com/.

14 Eugene Roehlkepartain, Peter Benson, Jennifer Griffin-Wiesner, y Kathryn Hong, *Building Assets in Congregations: A Practical Guide for Helping Youth Grow Up Healthy*. Minneapolis, MN: Search Institute Press, 1998.

ITINERARIOS DE FE PARA UNA PASTORAL JUVENIL HISPANA CREATIVA

Rev. Alejandro López-Cardinale

Tengo un sueño, *I have a dream,* son palabras que normalmente se asocian con el Rev. Martin Luther King, Jr. y la lucha por los derechos civiles de los afroamericanos en los Estados Unidos. Sin embargo, esas mismas palabras pertenecen a los teólogos y pastoralistas en este país al momento de plantearnos qué queremos, cuál es el joven y la joven que soñamos, cuáles son los paradigmas que los construyen, cuáles son las motivaciones y los deseos más profundos que palpitan en sus mentes y corazones y por los cuales quieren dar la vida.

Este capítulo parte de un sueño, el cual presento a manera de dos interrogantes: ¿Cómo proporcionar al joven hispano del s. XXI en los Estados Unidos itinerarios de fe que respondan honestamente a sus inquietudes para que tenga una experiencia radical y fundante de Jesucristo y la comunidad eclesial? ¿De qué manera puede la Iglesia en los Estados Unidos, como madre, acompañar mejor al joven hispano a convertirse en protagonista de su propio proyecto de vida de manera que entienda su formación en la fe desde la clave del discernimiento vocacional y su proyecto de vida personal?

Propongo explorar este sueño y sus preguntas en tres momentos: observar, discernir y correlacionar.[1]

Las siguientes observaciones se detendrán en los nuevos espacios teológicos[2] en los que el ser del joven hispano está sumergido y que han surgido desde el Encuentro 2000 como del *Primer Encuentro Nacional de Pastoral Juvenil Hispana* (PENPJH) en el año 2006. Estas observaciones surgen de mi experiencia personal acompañando jóvenes hispanos en distintos contextos en los Estados Unidos.

Observemos

Abundante agua ha corrido desde el 2000 y el 2006 hasta nuestros días. Les propongo observar ciertas realidades que considero al mismo tiempo como espacios teológicos emergentes. Estas realidades afectan y definen la identidad de nuestros jóvenes católicos hispanos. El orden no es muy importante. Cómo se relacionan entre ellas, tampoco. Son fragmentos, espacios, limbos.

Nos encontramos ante la radicalización de lo individual como referente de lectura de autorrealización. Es el momento del *selfie,* el autorretrato. Hablar del ser individual es hablar de mi *selfie,* mi *avatar,* desde el cual tejo mi mundo de relaciones.

El mismo individuo que es centro y se identifica desde su *selfie* también es un individuo que se agranda en la auto-afirmación cuasi radical: *you are the only one who can do it.* Este modelo auto-afirmativo, propio de la cultura occidental que prioriza ante todo la autonomía del ser humano, es uno de los principios clave del paradigma educativo en las escuelas y universidades estadounidenses. La auto-afirmación se considera como uno de los principales logros y valores que los *"millennials"*—una gran mayoría de nuestros jóvenes hispanos de segunda y tercera generación—asume y defiende.

El joven actual se caracteriza por una actitud *cool*, expresada en actitudes de tolerancia y el pluralismo. Ser y estar *cool* constituye para nuestros jóvenes hispanos una realidad física, psicológica y emocional. Ciertamente, podemos encontrar jóvenes hispanos que no han asumido la tolerancia y el pluralismo como caracteres definitorios de su idiosincrasia. Sin embargo, la inmensa mayoría de nuestros *millennials* han crecido y han asumido la tolerancia y el pluralismo en el corazón de su sistema de valores.

Se afirman lo lúdico y lo erótico como bienes en sí mismos y no como medios hacia la realización integral. Nuestros jóvenes viven en espacios culturales que motivan a buscar el placer inmediato a través de lo sensorial, de lo táctil, de lo mesurable. Esta manera de "percibir" lo lúdico y lo erótico construye una propuesta de ser desde las sensaciones. Acá ya no estamos hablando de una *pop culture*, sino de una cultura de la sensación inmediata, efervescente, embriagante, perecedera.

Se anhela la gratificación inmediata, sin importar si es pequeña y pasajera, mientras que nos consume la ansiedad de tener que esperar. Dicho inmediatismo ha sido exacerbado por el *boom* del *iPhone,* del *FaceTime,* del *Twitter,* del *Facebook,* del *reality-show,* del *Instagram,* del navegador, de lo virtual que ahora son la nueva "realidad".

En un mundo acelerado, enfocado en el *selfie* e inmediatista impera el relativismo. El cúmulo de pequeñas verdades pesa más que las verdades únicas y transparentes, que son vistas como algo *passé composé.* Es la época de las verdades "atomizadas", nucleadas, que para algunos son verdades aparentes y para otros son eso, verdades — individuales o parciales, pero verdades. Una de las series de televisión más populares entre los jóvenes hispanos es *The Big Bang Theory.* Aunque en ella la presencia hispana es prácticamente invisible, una gran mayoría de nuestros jóvenes se sienten profundamente identificados con lo característico de esta serie: todo es relativo cuando se refiere al campo de los valores absolutos.

Una de las consecuencias directas de la globalización es lo "católico" que ahora somos, entendiendo acá lo "católico" como lo universal y global. Más allá del mercado global que impone este sistema de globalización, es la interconexión e interrelación de información, valores, datos, conocimiento, emociones, exclusión de muchos a favor de pocos. Muchos jóvenes ven el tema migratorio desde esta perspectiva de la aldea global: aunque los países impongan una frontera y demanden visas, en la realidad virtual y global las fronteras no existen, las visas no son necesarias pues uno es ciudadano del mundo.

A los espacios anteriores se añade el espacio existencial humano en el que cada joven desarrolla su vida: su familia, situación migratoria, acceso a una educación superior y un trabajo estable, cultura, amigos, miedos e ilusiones, que tejen la trama del corazón de cada uno de ellos.

Discernamos

Teniendo en cuenta lo anterior y fruto de la experiencia pastoral en estas dos últimas décadas, se evidencia que estas realidades definen profundamente la perspectiva de los jóvenes hispanos en los Estados Unidos, al igual que la perspectiva de jóvenes de otras culturas en el país. Su manera de percibir y sentir con frecuencia difiere de aquella de quienes hemos crecido con otros esquemas de racionalización, lo cual presenta un desafío y un reto al momento de interactuar con ellos.

Sería una pérdida completa de tiempo esperar que los jóvenes hispanos estadounidenses dejaran de ser lo que son y se convirtieran en "nosotros", aquellos líderes pastorales o familiares que hemos crecido en un ambiente distinto, que hemos aprendido a interpretar la realidad en contextos diferentes o que simplemente no entendemos lo que significa ser joven en la segunda década del siglo XXI. Al mismo tiempo, sería un tanto fuera de lugar esperar que adultos o personas que no son jóvenes hispanos estadounidenses vivan y actúen como ellos.

Por consiguiente, propongo más bien que el discernimiento del acompañamiento pastoral de los jóvenes hispanos se base fundamente en lo mejor de nuestra tradición bíblica. Para ello propongo que nos enfoquemos en siete imágenes asociadas directamente con la experiencia del creyente en relación con Jesucristo.

Encontrarse a sí mismo a través del otro. (Lucas 10,25-37)

El mundo del *selfie* gira en torno a su propio centro. Sin embargo, la propuesta de Jesús se centra en el otro que "me hace a mí" circunstancial y, por ende, sujeto de ser transformado.

En la parábola del buen samaritano (Lucas 10,25-37) encontramos un ejemplo fresco y vivo de este desplazamiento del enfoque que Jesús propone: no es desde mí, desde mi centro, que todas las cosas gravitan, sino que yo soy parte de esas cosas que gravitan pues hay "un otro" u otras circunstancias que tanto tienen el mismo nivel de jerarquía como tienen el mismo nivel de influencia. En el caso de la parábola, no es el que está yacido en el suelo el que es encontrado sino el samaritano. En el encuentro, el samaritano es el sujeto transformado.

Este "re-enfoque" que Jesús propone puede "re-enfocar" un itinerario de formación que provoque el cambio espacial en nuestro *selfie*, que lo haga re-enfocar sus ansias de ser irrepetible y único, desde el otro, desde la "otredad". Este re-enfoque ayudaría a balancear la tensión siempre existente entre esas dos realidades del ser humano: la vivencia de su radical soledad y la de su radical comunitariedad. Mientras que el *selfie* no asume lo comunitario, Jesús propone que desde la "comunión con el otro" nos encontramos con nuestro yo más íntimo.

Dejarse fascinar por Jesucristo: "no soy yo quien vive, es Cristo quien vive en mí." (Gálatas 2,20)

La fascinación por Jesucristo es un don, un regalo, una gracia. El joven hispano con el que caminamos, embebido en esta cultura de la autoestima exagerada (*overemphasized self-esteem*), está fascinado principalmente por sí mismo, pero también reconoce que esa auto-fascinación no lo llena en plenitud.

La transformación de Saulo en Pablo puede servir como una propuesta de itinerario delante de nuestros jóvenes hispanos, multiculturales y embebidos en una sociedad de la autoestima exagerada que se transforma a pasos agigantados. Este "itinerario paulino" refleja el camino seguido por el joven Saulo para llegar a ser, en ese itinerario transformativo, en el adulto Pablo. El objetivo terminal de cualquier propuesta formativa a través de itinerarios de fe debe tender a que el sujeto de dicho itinerario pueda exclamar y proclamar como Pablo: "no soy yo, es Cristo quien vive en mí" (Gálatas 2,20).

Consolidar la inclusión desde la experiencia del Espíritu: los oíamos hablar en nuestras propias lenguas. (Hechos 2,8)

Para que cualquier itinerario de fe ofrezca un proyecto de vida en clave de discernimiento, es a través de la experiencia y la presencia del Espíritu Santo con el que podemos trabajar la propuesta del encantamiento y de la fascinación a fin de lograr que la persona viva el pluralismo y la tolerancia desde una perspectiva realmente humanizadora y evitar que la ideología sea el punto de partida.

La escena de Pentecostés le da sentido a la múltiple realidad cultural, social e ideológica del joven hispano en los Estados Unidos. Es el Espíritu Santo quien hace posible que la comunidad cristiana encuentre su fascinación en Jesucristo. El Espíritu construye y reconstruye la comunidad.

Integrar la sexualidad de manera holística: de adentro hacia fuera. Si conocieras el don de Dios. (Juan 4,10a)

Al referirme a la integración de la sexualidad de una manera holística, me refiero a considerar la sexualidad como parte de un todo, de la persona total. La sexualidad es ante todo un don por medio del cual nos hacemos presentes los unos a los otros en la historia.

Al elaborar itinerarios de fe para nuestros jóvenes hispanos, vale la pena reflexionar en el gesto de Jesús de sentarse al lado del pozo en su encuentro con la mujer samaritana, un gesto que se puede interpretar como volver al origen de la vida en el que la sexualidad es vivida desde, junto y con todos los demás elementos que conforman a la persona.

Toda propuesta de acompañamiento del joven debe permitir y generar el deseo y el movimiento de volver al pozo y sentarse a su lado. Se necesitan itinerarios de acompañamiento juvenil fundamentados en metodologías que partan de una antropología integral.

Integrar el kairós y el kronos del Reino: la semilla del Reino crece por sí sola y a su tiempo. (Marcos 4,26-29)

Querámoslo o no, estamos en la era de lo instantáneo, de lo efímero, de lo efervescente. Esto es muy propio de la experiencia urbana en la que vive la mayoría de la población estadounidense, incluyendo a nuestros jóvenes hispanos.

La mayoría de nuestros jóvenes hispanos están concentrados en grandes mega urbes. Para muchos de ellos, especialmente aquellos que viven en las periferias existenciales de nuestra sociedad, el tiempo no es percibido como un *kairós* sino como un duro *kronos*. Tienen que fajarse con el día a día que se les presenta, sumergidos en la sobrevivencia. Nuestros jóvenes viven "en la lucha". Para muchos jóvenes hispanos en los Estados Unidos, la lucha más grande consiste en no quedarse perdidos y olvidados en las periferias existenciales de la sociedad y de la misma Iglesia.

Pero los jóvenes no son los únicos que necesitan discernir la idea de tiempo e historia. También los asesores de la pastoral juvenil hispana y los directores o coordinadores diocesanos de este ministerio. Con frecuencia, se impone una perspectiva de *kronos* cuando predomina el deseo—o la presión—de producir resultados concretos en el menor tiempo posible. Sin embargo, no hay ministerio más "inestable" que la pastoral juvenil. Constatamos todos los días que hoy están, pero al día siguiente ya no nos vienen los mismos jóvenes. Lo temporal y lo inmediato se nos impone como una necesidad pastoral, como un requisito de nuestras pastorales de mantenimiento. En este sentido necesitamos ser contraculturales.

La imagen de la semilla del Reino que crece por sí sola, parábola propia de Marcos, señala fehacientemente las luchas de las primeras comunidades cristianas y las de nuestros jóvenes hispanos estadounidenses. Marcos reenfoca el sentido de la lucha y el desafío en el plano de correlación entre *kronos* y *kairós*: no importa cuándo, cómo y en qué situaciones, pero la semilla va creciendo por sí sola, tiene una vida y una fuerza propias, y da fruto una vez llegado el tiempo, tiempo que en Marcos se proyecta en el anuncio universal de salvación (Marcos 16,14-20).

Aceptar a Jesús, camino, verdad y vida, en y desde la
experiencia de lo cotidiano. (Juan 14,1-7; 21,15-19)

Si algo caracteriza a la gran mayoría de nuestros jóvenes
hispanos, y seguramente a la mayoría de jóvenes en el mundo
occidental, es lo poco atractivo que les parece una propuesta
de verdades absolutas, de esquemas y proyectos totalmente
definidos y acabados. Perspectivas relativistas, muchas
veces presentadas como actitudes postmodernas, definen
su *ethos*, su sistema axiológico, su manera de interpretar lo
que vale ante ella o él y la utilidad que le representa.

El desafío para quien acompaña a estos jóvenes es presentar
a Jesús no como una idea o un concepto teológico sino
como una persona concreta—verdaderamente humano
y divino—que se ofrece amando y que espera que ese
amor donado, regalado, sea aceptado, vivido, asumido y
correspondido. Cualquier itinerario de fe debe caminar
en esa dirección y ayudar a construir esa experiencia de
gratuidad, de saberse amado, para poder, entonces, aceptar
a Jesús como camino, como verdad y como vida.

Vayan por todo el mundo a predicar el evangelio.
(Marcos 16,14-20)

El discurso católico contemporáneo se halla a gusto en
nuestro día afirmando el binomio discípulo-misionero.
La misión constituye lo concreto del seguimiento. Si la
globalidad empuja a crear periferias existenciales en un
movimiento centrífugo, la misión, por el contrario, ayuda
a atraer a todos en un movimiento centrípeto. Lo atractivo
para muchos jóvenes hispanos que deciden "quedarse"
en la comunidad eclesial y participar activamente en ella

consiste ante todo en cómo la experiencia comunitaria de ser discípulos los anima a ser misioneros.

Es por ello que el elemento misionero tiene que estar presente en la propuesta de itinerarios de formación y discernimiento vocacional. La misión será el "termómetro" que mide la relación del discípulo con el Maestro, la comunión de vida entre la o el joven hispano con Jesús. Es una realidad comprobada dentro de los grupos de apostolado, dentro de los movimientos, dentro de las asociaciones juveniles: mientras haya una misión concreta y tangible, allí hay participación juvenil, pues la misión hace posible ser un discípulo que genera e impacta en la sociedad para lograr un cambio en las estructuras.

Correlacionemos

Al comienzo de este capítulo nos hacíamos las siguientes dos preguntas: ¿Cómo proporcionar al joven hispano del s. XXI en los Estados Unidos itinerarios de fe que respondan honestamente a sus inquietudes para que tenga una experiencia radical y fundante de Jesucristo y la comunidad eclesial? ¿De qué manera puede la Iglesia en los Estados Unidos acompañar mejor al joven hispano a convertirse en protagonista de su propio proyecto de vida de manera que entienda su formación en la fe desde la clave del discernimiento vocacional y su proyecto de vida personal?

La metodología que hemos usado nos ha permitido acercarnos un poco más de lleno a la realidad compleja en varias de sus manifestaciones que define la experiencia de los jóvenes hispanos en los Estados Unidos y discernirla desde la óptica pedagógica de Jesús y su propuesta del Reino.

Concluyo con un ejercicio de correlación uniendo dos campos de la pastoral que creo están íntimamente identificados: la pastoral juvenil y la pastoral vocacional. Apoyo esta correlación estableciendo una comunión entre las cinco maneras de plantear los elementos a contemplar en los itinerarios de fe y las áreas tradicionales de formación ministerial que utilizamos para la preparación de nuestros agentes pastorales laicos y clérigos: formación humana, espiritual, comunitaria, pastoral y académica:

- En cuanto a la formación humana, itinerarios de fe que conecten con las necesidades propias y sentidas de nuestros jóvenes hispanos.

- En cuanto a la formación espiritual, itinerarios de fe que proporcionen una profunda experiencia de encuentro con Jesucristo y su propuesta del Reino.

- En cuanto a la formación comunitaria, itinerarios de fe que proporcionen una profunda experiencia con una comunidad eclesial más allá de los límites de la idiosincrasia y cultura hispana.

- En cuanto a la formación pastoral, itinerarios que conduzcan a un verdadero proceso de discernimiento y a un proyecto de vida en el cual cada uno de los jóvenes sea protagonista de su propio camino.

- En cuanto a la formación académica, itinerarios que permitan fortalecer ese proyecto de vida "vocacionalmente", abriéndose a todas las posibilidades que la vida y vocación cristiana proponen.

NOTAS DEL CAPÍTULO 8

1 Estos tres momentos hacen eco al método teológico pastoral usado frecuentemente entre los católicos hispanos en los Estados Unidos: ver, juzgar y actuar.

2 Como espacio o lugar teológico, locus theologicus, entiendo y propongo aquellos lugares de lo cotidiano en donde el ser humano "se recrea", se "re-inventa" desde su más auténtica humanidad y desde donde, por ende, el Espíritu de Dios se nos manifiesta para iluminar el discernimiento de contemplar la presencia de lo sagrado, de lo bueno, de lo divino, en ello.

AUTORES

Steven Fisher es un estudiante en el programa de Maestría en teología (M.Div.) en Harvard Divinity School, Boston, MA.

Brett Hoover, PhD es profesor de estudios teológicos en el Departamento de Estudios Teológicos, Loyola Marymount University, Los Angeles, CA.

Ken Johnson-Mondragón, D.Min, Cand., es el coordinador de investigación para la consulta del Quinto Encuentro Nacional de Pastoral Hispana/Latina.

Rev. Alejandro López-Cardinale es el presidente de La RED Nacional Católica de Pastoral Juvenil Hispana.

Ed Lozano es el coordinador de pastoral juvenil en la parroquia St. Matthew en Arlington, TX.

Antonio Medina-Rivera, PhD es profesor de español y director del Departamento de Lenguas, Literaturas y Culturas en Cleveland State University. Trabaja activamente en iniciativas ministeriales con jóvenes católicos hispanos.

Steffano Montano es un candidato al doctorado (PhD) en teología y educación en la Escuela de Teología y Ministerio de Boston College, Boston, MA.

Vincent A. Olea, D.Min. ha trabajado con jóvenes en ministerios católicos por más de veinte años. Vive en California y es director del *Center for Creative Engagement*.

Hosffman Ospino, PhD es profesor de ministerio hispano y educación religiosa. También es director de programas de postgrado en ministerio hispano en la Escuela de Teología y Ministerio de Boston College, Boston, MA.

Susan Reynolds, PhD es profesora de estudios católicos en la Escuela de Teología Candler de Emory University, Atlanta, GA.

Abigail Salazar tiene una maestría en educación y es la vice-directora de la escuela católica St. Mary Magdalen en San Antonio, TX.